JN028107

たったこれだけ
仕事が片づく
Excel自動化
の教科書

YOSHIDA KEN
吉田 拳

技術評論社

[改訂第3版]

免責

本書に記載された内容は、情報の提供のみを目的としています。したがって、本書を用いた運用は、必ずお客様自身の責任と判断によっておこなってください。これらの情報の運用の結果について、技術評論社および著者はいかなる責任も負いません。

また、ソフトウェアはバージョンアップされる場合があり、本書での説明とは機能内容や画面図などが異なってしまうこともありえます。本書ご購入の前に、必ずバージョン番号をご確認ください。

以上の注意事項をご承諾いただいたうえで、本書をご利用願います。これらの注意事項をお読みいただかずに、お問い合わせいただいても、技術評論社および著者は対処しかねます。あらかじめ、ご承知おきください。

商標、登録商標について

本文中に記載されている製品の名称は、一般に関係各社の商標または登録商標です。なお、本文中では™、®などのマークを省略しています。

改訂第3版の刊行に際して

Excelが社会問題レベルの長時間労働の要因になっている現実

「大変、大変、命を助けていただいております」

これは、弊社がExcel業務支援をおこなっている企業の社員さんが弊社に送ってくださったお手紙の一節です。

この職場では、Excelによるデータ作成作業で毎日終電まで残業が続く、非常に深刻な長時間労働が常態化していました。「このままではいけない」と危機感を持たれたマネージャーの方から弊社にご相談をいただき、適切な対処を施すことで長時間作業は激減し、定時で帰れる日常が訪れたとのことです。

なぜ、そこまでの時短を実現できたのか。

業務効率化の大事な手法の1つに「やらないことを決める」という"業務仕分け"があります。しかし、その現場ではムダな作業など1つもなく、いずれの作業も不可欠なもので、非常に複雑かつ膨大な作業量に追われ、どうしても残業時間が増えてしまっていた状況でした。

そこで弊社が実際におこなったのが、長時間かかっていたExcel作業を自動で、かつ一瞬で終わらせる「マクロ」という機能を活用することです。このマクロを使うことによって、従来は2時間かかっていたデータの作成作業が1秒で終わるようになった……そんな実績を次々に積み重ねていったのです。

このマクロ機能による仕事の「自動化」によって、業務の生産性を上げた企業の例は枚挙に暇がありません。働き方改革の一環として、企業には残業時間の上限規制が課せられています。そのような環境下においては、Excel作業による長時間労働など、もうあってはならない状況になってきて

います。

ブラックボックス化・属人化を懸念して Excelマクロを禁止するべきなのか

　しかし、Excelマクロの利用については賛否両論が飛び交うことがあります。社内ルールとしてマクロの使用を禁止している企業も実在します。長時間かかっていたExcel作業を自動で、かつ一瞬で終わらせる……これだけ聞くととても素晴らしいものに思えるのに、なぜ禁止されることがあるのでしょうか。

　それには、いくつかの事情があります。そしてそこにこそ、Excelのマクロを正しく活用して成果を上げるためのヒントが隠されています。

　マクロを禁止している企業にその理由を聞いてみると、その答えは「属人化」または「ブラックボックス化」への懸念だとわかります。

　「マクロを作った社員がいなくなってしまったら、メンテナンスができなくなる」
　「このマクロが万が一使えなくなると、業務が止まってしまう」

　たしかに、それでは困ってしまいますね。しかし、なぜマクロを使うと属人化やブラックボックス化が起きてしまうのでしょうか。

　属人化やブラックボックス化というのは通常、高度に専門的で難易度が高い業務において発生する問題です。それでは、Excelのマクロとはそんなに難しいものなのでしょうか。だれにでも扱えるほどかんたんなものではなく、引き継ぐにも困難を極めるようなものなのでしょうか。

　じつは、そんなことはありません。もちろん、最低限の勉強はしなければいけません。しかし、我々のような専門業者でなければ扱えないような高難度なものではまったくありません。でなければ、我々も一般向けにExcelマクロの本を出したり、講座を開いたりするわけがありません。

「やればだれでもできる」

……これがExcelマクロの特長です。

　もちろん、自動化したい作業の内容によっては、難易度が高いマクロが作られる可能性はあります。そのようなマクロは、たしかに属人化・ブラックボックス化するおそれはあります。しかし、逆に言えば、「業務で使用するマクロはだれでも解読できる程度の基本的な難易度のレベルにとどめておく」ことで、会社としてむやみにマクロを否定する必要なく、マクロの活用を通して大きな成果を上げていける組織的な取り組みが可能になります。

　「かんたんなマクロを用意すれば、それまでミスもしながら2時間かかっていた作業が、一切のミスなく1秒で完璧に終わるようになる……この劇的な改善ができることを知ってもなお、これからもずっと、その作業に毎回2時間かけ続けていきますか？」

　そう問いを立てた時、会社として正しい判断はどちらでしょうか。

劇的な効率化・時短を実現した企業の実例

　これまで弊社が支援してきた実際の企業の事例から、Excelマクロの活用事例を3つご紹介します。

事例①：アパレル通販会社（大阪府）

【Before】

　某人気ブランドの製造販売をおこなっていたアパレル企業での事例です。毎日おこなう業務の1つに、通販サイトに記載されている情報を最新のものにアップデートする作業がありました。

　各商品のページには、その商品の在庫状況が「在庫あり」なのか「残りわずか」なのか「売り切れ」なのかといった情報が表示されていましたが、そ

の情報を毎日更新しなければなりません。そのために、販売管理ソフトから最新の在庫データと受注データをダウンロードし、それらのデータを組み合わせて、決まった形式のアップロードデータを作成しなければなりません。

このデータを作成するExcel作業に、社員2人がかりで、毎日午前中いっぱいかかっていました。

【After】

データの作成手順は、毎回同じ工程を繰り返す、機械的なものだったので、「これはマクロで自動化してしまえばいい」と判断し、マクロの作成に着手しました。

販売管理ソフトから必要なデータをダウンロードする作業は変わりません。ただ、それらのファイルを所定の場所に保存したあと、データ作成を自動化するマクロを組んだファイルを開いて実行ボタンを押すだけで、わずか10秒足らずでアップロード用のデータが完成しました。3時間から10秒以下への時短が実現した事例です。

同社では、ほかにも同様に時間のかかるデータ作成作業が多数ありました。そのすべてについて、同様に自動化用のマクロを用意し、各担当社員が活用することで、1つの業務にかかる作業がすべて10秒以下に短縮されることになりました。

そして、そうした機械的なルーティン作業から解放された分、マーケティングやデザインなどのよりクリエイティブな、本来社員たちがやりたかった仕事に割く時間が増えました。それによる満足感も非常に高く、社員の皆様も喜んでいるという声をいただきました。

事例②：不用品買取販売会社（愛知県）

【Before】

この企業では、毎月の経営会議に使用される前月の業績資料が経理部で作成されていました。もちろん、作業はExcelでおこなわれていましたが、会計ソフトや取引管理システムなど複数のシステムからダウンロードした

データを組み合わせて集計をおこなう作業を繰り返すことで時間がかかり、前月の資料が完成するのが毎月15日前後という状態が続いていました。

　社長としては、もっと早く数字を確認したい。しかし、経理部の現場ではこれ以上の時間短縮は無理……そんな状況に悩んでいました。

【After】

　これも事例①と同様に、作成手順は毎回同じ工程を繰り返す機械的なものだったので、やはりマクロで自動化しました。その結果、じつに3分かからず資料が完成するようになりました。前月実績の資料は毎月初日の朝一番に社長に提出されることになり、社長が喜んだのは言うまでもありません。

　経理部でも「毎月の煩雑な資料作成作業から解放されて大幅に負荷が減ってうれしい」との喜びの声が上がりました。同時に、毎月の資料作成でミスをするのが非常に怖かったそうで、その不安も解消された安心感は非常に大きいとのことでした。

事例③：大手精密機械メーカー財務部（福岡県）

【Before】

　こちらの部門では、毎月のルーティンなExcel作業として、人事システムからエクスポートした人件費のデータを加工して、会計システムにアップロードするための3種類のデータを作らなければならない、というものがありました。毎回の所要時間は1時間程度で、その作業をおこなうのも月に1回ですから、さほど長時間労働に悩んでいたわけではありません。

　ただ問題は、作業工程がなかなか複雑で、慣れるのに時間がかかるものだったことでした。工程が複雑ということは、ミスも増えます。そして、慣れたら慣れたで、あまりにも機械的な作業のため「飽き飽きしてうんざりしていた」とのことです。

【After】

　事例①や②と同様、データ作成を自動化するマクロを用意することで、ボタン1クリック、所要時間はじつに1秒でデータ作成が完了するようになりました。

■ 生成AI時代にも通用する原則を集大成

　本書では、実務でExcelマクロをすぐに活用できるようになるために必要なことを、必要な順番で解説しています。さらに今回の改訂版では、2023年に大きな話題となったChatGPTをはじめとする生成AIがExcelマクロの活用にどのような影響を与えるかについて解説を加えました。

　「こういうマクロはどう書いたらいいんだ？」
　「このマクロはどんな内容なんだ？」

といったケースで、生成AIに「相談」してみる……これは、Excelマクロに限らず、今ではさまざまなプロのエンジニアたちの開発現場においても活用されている、極めて重要なノウハウです。

　全員が高度なExcelマクロの知識を持たなくても、本書程度の知識があれば、内容を解読することが可能です。あとは多少わからないところが出てきても、検索して調べるとか、ChatGPTなどの生成AIに相談することで、だいたいの内容を理解することが可能です。つまり、マクロの利用で懸念されていたブラックボックス化や属人化の問題は、基本的な勉強さえする気があれば発生しないことになります。

　本書『たった1秒で仕事が片づくExcel自動化の教科書』は、2016年に初版が発売されて以来、10万部を超えて読み継がれる書籍になりました。基本的な原則は発売当初と何ら変わるところはありません。今後も引き続き、本書の実践的な内容が現場におけるExcel効率化スキルの「普及と底上げ」に寄与することを願ってやみません。

はじめに
「5時間かかる作業が3時間でできます」
ではなく「1秒で終わらせます」へ

▌猛スピードで長時間がんばって作業している割には たいした成果を出せないこと、ありませんか?

「すばやくショートカットを使いこなして華麗にExcelを操作!」
「ピボットテーブルを駆使して大量の資料作成をこなす!」
「ほかの人なら5時間かかる作業が、私なら3時間でできます!」

　キーボードやマウスをスピーディに操って仕事をしている姿はかっこいいものです。しかし、そうした手元の操作スピードにはさほどの価値がないといったら、どう思われるでしょうか?

　もちろん、メールや書類などで文章を書くときのタイピングは、やはり速いほうが絶対にいいです。ブログでもSNSでもいいのですが、日常的に文章を書いてアウトプットすることを習慣づけることを私の生徒さんやクライアントの皆様にはおすすめしています。タイピングのスピードが上がるだけなく、思考を文字化することで思考が具体化され、その結果行動が変わり、成果も変わるという法則があります。スマホのフリック入力でも思考の文字化はできますが、やはり仕事でパソコンと向き合う時代はもうしばらく続くでしょうから、パソコンでの文章入力にはぜひ慣れておきたいものです。入力作業では、作業スピードは大事です。

　一方、たとえば以下の指示を受けたらどうでしょうか。

　「このExcelシートに10000社の会社名リストがある。各社のデータをそれぞれ格納するフォルダを10000個作りたい。今から5分以内に10000個のフォルダを作って、その1つ1つにここにある社名を付けていってくれない?」

どんなにすばやく作業しても、この作業を5分で終えるのは不可能です。こうなると、もう手元の作業スピードの差などまったく意味がなくなります。

少し極端な例だったかもしれませんが、猛スピードで長時間がんばって作業している割にはたいした成果を出せていないケースはたくさんあります。

「自動化」によって手元の操作スピードの差など意味がなくなる

そんな問題を解決するキーワードがあります。それは「自動化」です。

たとえば、先ほどの10000個のフォルダを作る作業。Excel作業を自動化するテクニックを覚えれば、こんな作業は準備に1分、実行はじつに1秒で瞬殺できてしまいます。

バラバラのたくさんのファイルを1つずつ開いてはデータをまとめていくような、手順がややこしくてまちがえやすい面倒な作業に、「よし、コツコツがんばろう」と腰を据えて真面目に取り組み始めてはいけません。「ほかの人なら5時間かかる作業が、私なら3時間でできます！」と豪語されているのを実際に見たことがありますが、

「え、3時間もですか！？　それ、1秒で終わるようにできますよ」

ということになるからです。

「本来なすべき仕事に時間を割けない状態」から抜けだそう

私がさまざまな企業の業績向上をお手伝いする仕事をしている中で、Excelがネックとなってあちこちで発生しているのが

「長時間作業に時間を取られて、業績向上のために本来なすべきもっと大事な仕事に時間を割けない状態」

に社員の方々が苦しんでいる悲劇です。

　私たちが仕事のために割いているのは、「時間」です。私たちに与えられた命の時間が有限であるのは言うまでもなく、お勤めの方であれば定年というリミットもあります。仕事に割いている時間は命そのものなのですから、最大限、より大事な仕事のために割いていただきたいのです。

　時間のかかる単純作業は、Excelに任せることができます。ただ、それには「Excel作業の瞬殺自動化」のテクニックが必要です。具体的には「マクロ」という機能を活用するのですが、「従来の本では、何冊読んでもなかなかわからない」「仕事に活かすことができない」という声をたくさんいただいてきました。

　その要望に応え、まずは「どうしたら実務を効率化できるか？」という点からブレることのないように内容を磨き上げた研修を100回以上開催し、1000名以上を指導してきました。さらに、これまで200件を超えるExcelマクロの受託開発をこなして、実績とノウハウを積み上げてきました。その成果を凝縮したのが、この本です。大変ご好評をいただいた前作『たった1日で即戦力になるExcelの教科書』（技術評論社）ではお伝えしきれなかったこの「Excel作業の瞬殺自動化」があなたにも絶対確実にできる……そんな状態になっていただくことをお約束します。

■ 本書の使命

　本書が解説するのは、Excel作業を自動化するためのプログラミングと実務での具体的な活用法です。そして本書の使命は、「すべてのExcel作業をおこなうデスクワーカーが当たり前にマクロを使いこなしている状態の実現」です。そうなれば日本のGDPに影響を与えるレベルで国益に資することができる —— それほど、Excelマクロによる効率化のインパクトはとてつもなく大きいものなのです。

　決して読者の皆様にプログラミングの専門家になっていただくことが目的ではありません。そのため、あくまでも「すぐに実務で使えるようになる」……その結果、みなさんの仕事がラクになり、生産性が上がり、評価も

上がる……ここからブレることなく、一般的な実務ではなくても困らない専門知識やプログラマー的なこだわりは極力削ぎ落し、必要最低限の内容に絞り込みました。

　その分、紙面の都合で割愛した内容は、以下のWebサイトにて補足する形式を取っています。

http://sugoikaizen.com/excelvba/

■「だれでも確実にできるようになります」それを証明する事例

　「プログラミングは非常に敷居が高い」と感じてらっしゃる方は多いのですが、Excelの場合は非常にとっつきやすいものになっています。何しろ、普段から日常的に使用されているExcelを効率化するための手段ですから、かんたんでなければならなかったのです。決して専門家にしか使いこなせないものではありません。

　たとえば、京都で税理士をされている近藤学さんは、「中小企業の会計作業の煩雑さをなんとか解消できないか？」と考えていらっしゃいました。そこで目をつけたのが、そうした会計用のExcel作業の自動化です。そして、Excelのプログラミングの学習を開始されました。

　それから、わずか半年後。一般向けに発売できるほどの会計作業自動化Excelを作り上げ、現在も実際に「資金繰り予報士　こがねむしクラブ」（https://koganemushi.jp/lp/）という名称で販売されています。そして、多くの中小企業の会計作業の効率化に貢献されていらっしゃるのです。

　また、本書の原型となったExcelマクロ研修を受講した新入社員の方が、「社内のさまざまなExcel作業を自動化するツールを次々に作成して、会社の生産性向上に寄与している」という報告を上司の方からいただくなど、極めて短期間で実践で成果を上げている事例もあります。彼らも、プログラミングはまったくの初心者でした。このような事例からもわかるように、やればだれでもできるものなのです。

「3日かかっていた作業が、1秒で終わるようになる」

そんなことが増えれば、当然会社は変わります。それが当たり前で日常的である、そんな日本のビジネス社会にしたいのです。

単純作業に苦しんでいたのが、よりやりがいのある仕事に全力を注げるようになる。
大量作業をこなすだけの辛い残業がなくなる。
高い成果を上げられるようになり、仕事が劇的に楽しくなる。

そうすれば、人生までもが変わります。本書がその一助となれば幸いです。

第 **1** 章

3日かかった作業が
1秒で終わる衝撃

Excel自動化のために
最初に一度だけやっておくべき設定の「理由」

第 **2** 章

基本にして最重要
──「表作成」の自動化で
仕事は劇的に速くなる

まずは超基本から　～セルへデータ・数式・関数を入力する

第 3 章

複雑な問題も、小さく分解すれば、1つずつのシンプルな要素にすぎなくなる

シートの処理を自動化するには

【演習】入力の練習をしてみよう

第 4 章
どんな仕事も計画の「実行」と「検証」ができればうまくいく

問題の原因はいつも似通っている
〜問題解決をスムーズにする着眼点

問題をあぶり出す技術
～「試行錯誤」はむやみにやればいいというものではない

無用な手間をなくす大切なリスクヘッジ
～変数宣言の必要性を理解する

わからないことの調べ方　～マクロの記録を使いこなす

第 5 章
面倒なルーティンワークを
自動化するための具体的プロセス

「その都度入手するブックに対して毎回同じ処理をおこなう」場合
の考え方

Excel作業自動化ツールの超具体的な作成手順

第 **6** 章

大量のフォルダやファイルの 処理も瞬殺する自動化ツールの 作り方

大量のブックを開いて閉じての繰り返し……という作業も 1クリックで片づける方法

「毎月同じようなファイルを何個も作る単純作業がもういやだ!」 ～ファイルの大量作成を自動化する

第 7 章
大量の書類を一括して処理する

請求書の作成を自動化するには

シートを削除するロジックの考え方

第 8 章

顧客情報の入力がしづらい、見づらい……を解決する
〜ユーザーフォームの基本

なぜ、顧客データExcelは管理しづらくなるのか？

自作の入力フォームをかんたんにつくる具体的手順

チェックボックスやプルダウンメニューも自由自在に

入力内容をシートへ転記する

入力項目の数が非常に多くて大変な場合はどうするか

第 9 章

「保存せずにファイルを閉じちゃった……!」という悲劇をなくす ～イベント処理

うっかりミスを防ぐ仕組みの作り方

第 10 章
全体像の整理と これからのために 知っておきたいこと

変数について理解を深める

Excel VBAにおいて生成AIはどう活用できるか

なんでもかんでもExcelで済ませようとしない

第 1 章

3日かかった作業が
1秒で終わる衝撃

毎日同じ作業に
2時間かけていた若手社員の
悲劇と感動

その作業、本当に時間をかける必要はありますか?

「この長時間、単純作業を続けてて、今後の俺の人生に役に立つんだろうか……」

弊社のクライアント企業で出会った、ある若手社員さんがつぶやいた言葉です。

彼は日本を代表する大手インターネット広告代理店にて、さまざまなExcel作業……おもにインターネット広告の費用対効果を検証するレポート作成を担当されていました。こちらの業界は、あらゆる仕事の中でも外資系金融と並ぶ屈指のExcel作業量があり、社員の皆様は連日長時間Excelと格闘されていらっしゃいます。

中でも印象深かった案件として、「お客様向けに毎日提出するレポートの作成に、毎回2時間かかっていた」というものがありました。

2時間×20営業日＝月間40時間

1日8時間勤務として、丸5日分の時間がExcelによるレポート作成作業に費やされていたわけです。

この作業は、手順が多く複雑なうえ、同じプロセスをいくつものシートで繰り返す必要があるものです。1日の所要時間が2時間というのも、この作業に十分慣れた担当者がスムーズにミスなくおこなった場合の話。担当者が変わったら、慣れるまでのしばらくの間は、また3時間以上はかかることが予想されます。手作業でやっているのでミスも起こりやすく、ミスがないかの確認、ミスがあればその修正……と所要時間はどんどん増えていくものでした。

　はたして、この作業に1回2時間、月間40時間という貴重な時間を費や
す価値があるのかどうか？

　もちろん、資料を作成すること自体はとても大切です。しかし、その作
業がじつは1回あたりわずか1秒で済ませてしまえることがわかったとし
たらどうでしょうか？　それでも、今後も変わらず、1回2時間をかける
必要があるでしょうか？

　2時間の作業を1秒で終わらせられれば、新しく2時間分の時間ができる
ことになります。その時間を使って、今まではやっていなかった、あるい
は時間が足りなくてできなかった、新しくてより生産性の高い仕事を始め
ることができたら……そのほうがいいとは思わないでしょうか？

たった1クリックで処理が終わる感動

　そこで私がおこなったのは、作業の瞬殺自動化です。具体的には、その
作業を一瞬で終わらせるオリジナルの「自動化ツール」をExcelで作ってし
まうということです。

　レポート作成作業のご担当者様は非常に優秀な方で、将来その仕事を引
き継ぐ際のことも考えて、いつもの作業の「手順」をきちんと箇条書きで
順番に書き出されていました。じつは、こうした「手順を書くこと」が、業
務の効率化・自動化には極めて大切なのです。この「手順の具体的な言語
化」ができなければ、Excel作業の瞬殺自動化はできません。思考や知識経
験の言語化はそれほど大事なことです。

　といっても、難しいことではありません。作業マニュアルを作るのと同
じで、いつもの作業手順を、自分以外の他人がやる場合でも困らないよう
に、わかりやすく普通の言葉で書き出すだけです。

　そのように文字化された「手順書」があれば、あとはその手続きどおり
にExcelが動くように、今度はExcelが理解できる独自の言葉に翻訳しなが
らExcelに対して動作指示文を書くだけです。この作業を「プログラミング」
といいます。そのプログラミングには、日本語ではなく、「VBA（ブイビー
エー、Visual Basic for Applicationsの略）」と呼ばれるコンピュータ言語を使

います。たとえば、

　「ダウンロードしておいたCSVファイルを開いて、不必要な列や行を削除して、この列とこの列を入れ替えて、この列の数字にこの列の数字をかけ算して、この列の数字が0の場合は赤く色をつけて、そのシートを20回コピーして、その都度名前を変えて……」

といった数十工程にも渡る、従来は2時間かかっていた作業を自動化するとどうなるか。

　「シート上に設置したボタンを1クリック」

　これだけで済んでしまいます。時間にして、処理完了まで約1秒。数十工程に渡る2時間の作業が、1クリック、1秒で終わるのです。
　この「自動化ツール」を完成させ、メール添付で担当者様に送って差し上げました。そして電話で使い方を教えて差し上げたのですが、いつも2時間かかっていた作業が1秒で終わるのを見た瞬間、彼は電話口の向こうで歓喜の悲鳴を上げていました。

　「私が今まで2時間かけていたのは何だったんですか……！」

　そして彼は、毎日新しく2時間が空いたおかげで、今までできなかった仕事に取り組み、または残業をすることなく早目に帰って、公私ともにより充実した生活を送れるようになったのです。1日あたり2時間→1秒。1ヶ月単位でみれば、じつに40時間の作業が20秒に短縮されたわけです。
　このような「自動化ツールの作成」は、決してプログラミングの専門家にしかできないことではありません。

時間がかかる作業は
「なぜ」時間がかかるのか

　先ほどの話のように、時間がかかるExcel作業はたくさんあります。では、なぜ時間がかかるのでしょうか？　その原因を明らかにしない限り、対策を立てて時間短縮を実現することはできません。

　ワインやウィスキーの熟成など、どうしても数年単位で時間がかかる作業はあります。そうした工程を短縮することはできません。してはいけません。時間をかけることそのものが「よりおいしいお酒を作る」という価値につながるからですね。一方、時間をかけても価値が増えない作業があります。そうした作業については、極限まで時間短縮を図るべきです。でないと、こういうことが起こります。

「あれだけ時間をかけて、この程度の仕事しかできなかったの？」
「あなたが3時間かけてやった仕事、彼は1分で終わらせたよ」

　このようなケースでは、時間をかけることはむしろ「時間のムダ」にしかならないのです。そうしたムダを極力排除するため、時間がかかる作業はなぜ時間がかかるのか、原因を明らかにする必要があります。そしてその原因は、とてもシンプルな2つに分類できます。

反復性　～何度も同じことを繰り返す

「あと請求書20通……」

　そんな何度も何度も同じ作業を繰り返す、反復作業の発生によるムダが1つめとして挙げられます。

　請求書は、1通作るだけならそんなに大変ではありません。しかし、それを手作業でやっていると、100通や1000通作る必要が出てきた時に追

いつかなくなります。同じ手順の作業を何度も繰り返す —— そうした作業は、その回数に比例して、所要時間が長くなっていきます。

　ところが、その作業を自動的に繰り返してくれる仕組みを作れたらどうでしょうか？　自分が何度も手を動かすことなく、しかも100回だろうが1000回だろうが数秒でそれを済ませることができるとしたら。そのような仕組みを作ってみたいと思わないでしょうか？

▌複雑性　〜手順が多く複雑

　特に反復作業がなくても、手順が多くややこしくて煩雑な作業は時間がかかりますね。その作業がさらに繰り返しを要するものだったら、もっと時間がかかることになります。

　何より、人間はミスをする生き物です。手順が多くて面倒であるうえに、処理の仕方に難しいルールがあると、ややこしくてミスの発生も多くなってしまいます。そのような作業には、時間がかかることが多くなります。

　しかし、これも自動化すれば、そうした人為的なミスの発生がなくなります。何度も繰り返すような作業であれば、その差は極めて大きな影響をもたらします。

まずはExcel作業を
自動化する「手順書」を
読んでみよう

「面倒なExcel作業を瞬殺する仕組みを自分で作る」という発想

　では、大量の反復作業、複雑な作業……つまり「時間のかかる面倒なExcel作業」を自動化するとは、具体的にはどういうことでしょうか?

　先ほども書きましたが、

「作業を自動的に全部やってくれる独自のExcelファイルを自分で作る」

ということです。そのファイルを開いて、シート上に用意したボタンをクリックすれば、いつもの作業が一瞬で終わる——そんなことができるようになります。

　Excel作業を自動化するには、Excelの「マクロ」という機能を使います。このマクロという機能は、さまざまな「処理」を、「手順」どおりに、あらかじめプログラミングしておくことで、Excelがそのとおりに動くようになる……つまり、「一連の処理」である「手順」を自動化するものです。それこそ、数時間から1週間かかっていた作業も1秒で終わるようにすることも可能な、Excel作業地獄に苦しんでいる方にとっては夢のような機能だといえます。

「マクロではどんなことができるのか?」
「マクロでこんなことはできるか?」

とはよく聞かれる質問ですが、手作業でできることはほぼすべてマクロ機能で自動化することができます。本書では、このあとさまざまな自動化の事例を通して、最終的にはあなたが普段の面倒な作業を自動化するオリジ

ナルのExcelを作成できるようになるまでの道筋をご案内していきます。

　たとえば、急遽「都道府県別に、47個のフォルダを作る」という作業が発生したとしましょう。手作業でフォルダを47個作ろうと思ったら、

① フォルダを作りたい場所 (デスクトップもしくは任意のフォルダの中) で右クリック→新規作成
② 「フォルダー」と選ぶと、1つフォルダが出来上がる
③ 名前を変更

……という作業を47回繰り返すことになります。1回だけならかんたんですが、47回繰り返すとなると辛いものがありますね。

　そんなとき、Excelのシート上に以下のようなA列の2行めから48行めまで都道府県名が入った一覧があれば、都道府県の名前がついたフォルダ47個を作る処理は次ページのような手順書を所定の場所に書くことであっという間に終わります。

	A	B
1	県名	
2	01 北海道	
3	02 青森県	
4	03 岩手県	
5	04 宮城県	
6	05 秋田県	
7	06 山形県	
8	07 福島県	
9	08 茨城県	
10	09 栃木県	
11	10 群馬県	

```
(General)                                        ∨   sample
  Option Explicit

Sub sample()
    Dim i
    For i = 2 To 48
        MkDir ThisWorkbook.Path & "¥" & Cells(i, 1).Value
    Next
End Sub
```

　いきなりこんなものを見せられるとわけがわからなくて拒否反応が出てしまうと思いますが、安心してください。こうした文章がどんな作業をおこなうものなのか、だれでも確実に解読できるコツを解説していきます。読めるようになれば、次は書くこともできるようになります。

日本語に訳せば処理がわかる

　ポイントは、処理を日本語に訳してみることです。

　たとえば、この文章ではピリオド（.）は「の」と読みます。
　「¥」の記号は、「～の中の」と読みます。
　「For」と「Next」という単語は、この2つの間に書かれた処理を繰り返す「反復」という意味を持っています。

　このように、訳し方のポイントを押さえていけば、その文章がどんな操作を実行するものなのか、どんどん読み解けていってしまうのです。1つずつ見ていきましょう。

「Sub」で始まり、「End Sub」で終わる

　まず押さえておきたいのが、Excelを自動化するこのような手順書は「Sub」で始まり、「End Sub」で終わるという点です。

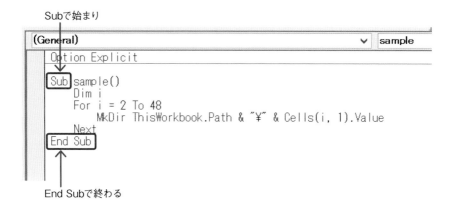

Subで始まり

End Subで終わる

```
(General)                                              sample
    Option Explicit
    Sub sample()
    Dim i
    For i = 2 To 48
        MkDir ThisWorkbook.Path & "¥" & Cells(i, 1).Value
    Next
    End Sub
```

このSubとEnd Subの間に、Excelに実行させたいこと、自動化したい作業内容（これを「処理」といいます）を記入していくことになります。

Subのあとには、半角スペースをおいて「sample」と書いてありますが、これはこの手順書に適当につけた名前です。名前は自分で好きなように自由につけることができます。

そのあとに、空っぽの()（カッコ）がついていますが、これは手順書の入力中に自動で入力されるもので、当面使わないので、無視してけっこうです。

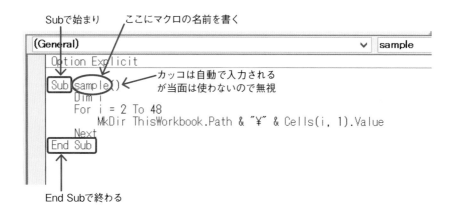

Subで始まり　　ここにマクロの名前を書く

カッコは自動で入力される
が当面は使わないので無視

End Subで終わる

```
(General)                                              sample
    Option Explicit
    Sub sample()
    Dim i
    For i = 2 To 48
        MkDir ThisWorkbook.Path & "¥" & Cells(i, 1).Value
    Next
    End Sub
```

「For」と「Next」で繰り返し処理を実行する

　次にポイントになるのは、「For」と「Next」という2つの単語です。これは、ForとNextの間に書かれた処理が繰り返し実行されるという「For Next構文」というものです。

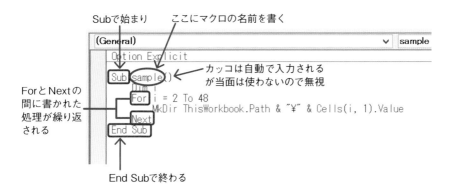

Subで始まり　ここにマクロの名前を書く

ForとNextの間に書かれた処理が繰り返される

カッコは自動で入力される
が当面は使わないので無視

End Subで終わる

　マクロを使ううえで最も頻繁に使われる、最も重要な構文で、面倒な繰り返し作業を自動化してくれるものです。本書でもこれから何度も扱っていきます。Forという単語があったら、

　「このForと、その下のほうにあるNextの間に書かれている処理が繰り返されるんだな……」

と読み解いていけばいいのです。逆にいえば、反復作業をこれから自動化したい時には、このFor Next構文を書けばいいというわけです。
　その繰り返し処理を何回繰り返すのか、ということが「For」のあとに書かれています。「i=2 To 48」と書かれていますね。小文字のアルファベット「i」は、「変数」といって、いろいろな値に変身できる文字列です。ここでは、処理を繰り返す回数を記録しておく「カウンター」のようなものだとイメージしてください。
　これは別に小文字の「i」でなければいけないわけではありませんが、多くの場合、Forの直後に書かれる変数は「i」が使われます。Forのあとに

「i = 2 To 48」と書かれている場合、

　「変数iが、最初は2からスタートして、次に3、次に4、とどんどん1ずつ増えて、48になるまでForとNextの間に書かれた処理を繰り返す」

という意味になります。

単語と記号をていねいに日本語訳して処理内容を理解する

　その間、繰り返しおこなわれる処理として次の1行がForとNextの間に書いてあるわけですが、これは「フォルダを作る」という処理を表しています。

```
MkDir ThisWorkbook.Path & "¥" & Cells(i, 1).Value
```

　ここを読み解いてみましょう。
　先頭にある「Mkdir」は「フォルダを作る」という意味の単語です（Make directoryの略）。そして、「フォルダを作る」という処理は次のような文法で書くことになっています。ここでは覚えようとしなくて大丈夫です、「こういう文型をこれから知っていくと仕事がラクになるのだ」という例として、まずは読みとおしてください。

Mkdir フォルダを作りたい場所 ¥ 作りたいフォルダの名前

　Mkdirと入力したあと、半角スペースを空けて、¥マークでつながれた2つの指定を書きます。
　¥マークの手前には、たとえば「デスクトップ」とか「○○フォルダの中に」といった具合に、どこに新しくフォルダを作りたいかを指定します。先ほどの処理では、「ThisWorkbook.Path」がそれにあたります。

　そして、¥マークの後ろに、新しく作りたいフォルダの名前を書くことになっています。それがここでは、「Cells (i,1) .Value」にあたります。P.38の画像にある処理では、この「ThisWorkbook.Path」と、「¥」という記号と、「Cells(i,1).Value」の3つの要素を&記号で接続する形で、フォルダを作りたい場所と作りたいフォルダの名前を指定しています。「¥」マークは文字列なので、このようにダブルクオーテーションで囲んで入力します。

　それでは、今回の例の日本語訳に必要なポイントを紹介します。

・「ThisWorkbook」は、そのまま直訳して「このブック」と訳します。
・ピリオド (.) は、「の」と読みます。
・「Path」は、「フォルダ」と訳します。
・¥マークは、「〜の中の」と訳します。
・Cells (i,1) は、「セル」を意味しています。
　Cells (1,1) はA1セル、Cells (2,3) はC2セルを意味します。
　Cellsのあとのカッコ内で、カンマ (,) で区切って手前から順にセルの行数、列数を指定することで、1つのセルを指定できることになっています。その行数に変数iが使われているものです。
・「Value」は「値」、つまりセルに入力されている値を意味します。
　Cells(1,2).Valueであれば、B1セル (シートの1行め、2列め) に入力されている値を表します。

　すると、MkDir ThisWorkbook.Path & "¥" & Cells (i,1) .Valueは

【フォルダを作る。作る場所はこのブックのフォルダの中、フォルダの名前はシート上A列i行めのセルの値】

という処理だと解読できるというわけです。ここではまだ細部については理解できなくてもちろん大丈夫です。「初心者でも他人が書いた手順書を解読するコツがあるんだ」ということをわかっていただくための事例です。

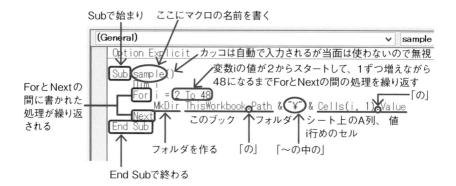

この処理がForとNextの間に書かれているので、これはつまり「フォルダの作成が繰り返し実行される」ということになるわけです。

手順書を実行すると何が起きるか

では、この手順書を実行すると何が起きるか。

まず、変数iが最初は2になった状態でフォルダを作成する処理がスタートしますから、最初は「Cells(2,1).Value」、つまりA2セルの値である「01北海道」が新しく作られるフォルダの名前として使われ、フォルダの作成が実行されます。すると、「01北海道」というフォルダができるわけです。

その処理が終わると、次は変数iは3になり、Cells(3,1)……つまり、A3セルの値がフォルダ名として使われ、「02青森県」というフォルダができます。

このように、iが2から48まで変化していく間、A2セルからA48セルまでの値を使いながら、都道府県名のついた47個のフォルダを作成するという処理が自動的に繰り返されるわけです。

「47個のフォルダを作る」などの面倒な作業を自動化するというのは、こういうことです。

そして、これぐらいの手順書は、慣れれば書くのに1分もかかりません。そのために必要な知識を順を追って紹介していくのが、本書の内容になります。

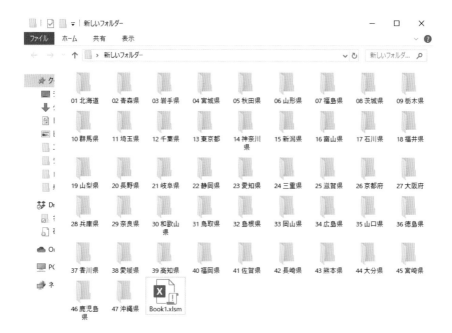

最初にやっておくべき設定

　読み方のポイントを押さえたら、さっそく手順書を書いてExcelの自動化をしてみたいところですが、その前に、マクロ機能を使っていくために最初に必要な設定をしておきましょう。それぞれのくわしい意味は後述しますので、まずは以下の手順どおりにExcelの設定をしてください。

ファイルの保存形式を変更する

❶ Excelを起動する。
❷ [ファイル]メニュー→[オプション]→[保存]から[ブックの保存]の[ファイルの保存形式]を「Excelマクロ有効ブック(*.xlsm)」にする。

リボンに[開発]タブを表示させる

　Excelの初期状態では、マクロの作成に必要な[開発]タブがリボンに表示されていません。

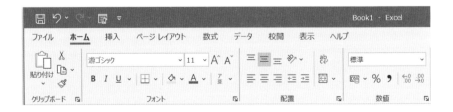

これを表示されるように設定しておきましょう。

❶ [ファイル]タブ→[オプション]→[リボンのユーザー設定]をクリックする。

❷ [開発]にチェックを入れて[OK]をクリックする。

❸ リボンに[開発]タブが表示される。クリックすると、[マクロ][マクロの記録][挿入]など、今後マクロの作成に必要な機能が出てくる。

手順書を作成するツールの重要な設定

　これからあなたが本書でExcel作業を自動化するために勉強していくのは、Excelに「このような処理をしろ」という「手順書」を書くための言語である「VBA」（Visual Basic for Applications）というコンピュータ言語です。身構える必要はありません。決して専門家にしか使いこなせないほどのものではありません。先ほど出てきたSubから始まる文章、あれもVBAで書いたものです。

　VBAで処理内容を示す文章（この「文章」を、以降は「コード」と呼びます）を書くためのツールを、VBE（Visual Basic Editor）といいます。このVBEの起動方法と、最初に一度だけやっておかなければならない設定を見ていきましょう。

　まずVBEの起動方法ですが、これはショートカット Alt + F11 を押すことで起動できます。これから何度も起動することになるので覚えておいてください。

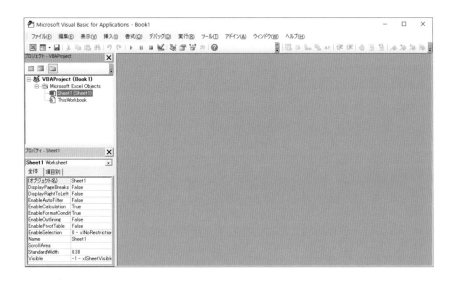

　手順書の作成に使うパソコンでは、必ず最初に以下の手順で設定を済ませておいてください。

❶ VBEの［ツール］メニュー→［オプション］を選択する。

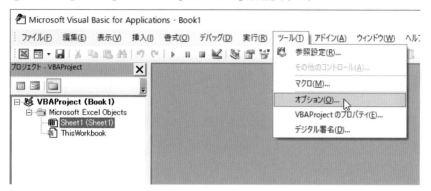

❷ ［オプション］画面が出るので、［編集］タブで［自動構文チェック］にチェックが入っている場合はチェックを外し、［変数の宣言を強制する］にチェックを入れて［OK］をクリックする。

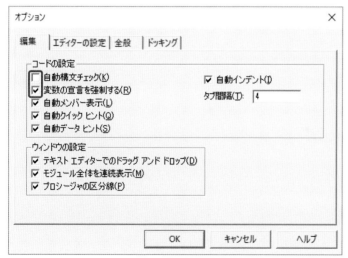

これらの設定は、1回やってしまえばそれ以降はExcelやパソコンを終了してもそのまま保存されるので、毎回やる必要があるものではありません。最初の1回だけやっておけば大丈夫です。

　さらに、本書の解説用画面では［エディターの設定］タブ→［コードの表示色］にて、［前景］を以下の設定にしています。

・キーワード　→　青
・識別子　　　→　茶色

　VBEでは［エラー構文の文字］が赤、コメントが緑などがデフォルトに設定されていますが、これらは変更されていない前提で解説しています。

　また、念のため次の部分を確認しておきましょう。

❶ Excelの［ファイル］メニュー→［オプション］→［セキュリティセンター］の
　［セキュリティセンターの設定］をクリックする。

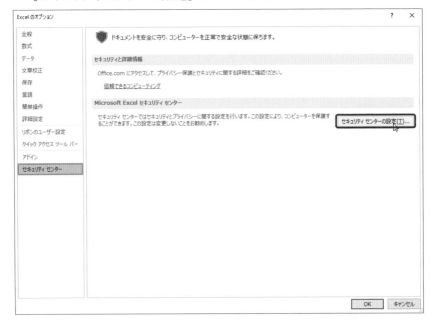

❷ ［マクロの設定］→［警告を表示してすべてのマクロを無効にする］が選択
　されているか確認する（選択されていれば、そのまま［OK］をクリック）。

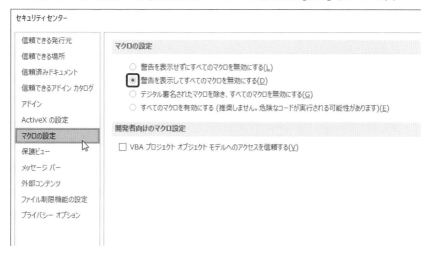

　また、近年になって「WebからダウンロードしたExcelに入っているマク
ロがブロックされて使えない」という仕様になりました。

　Webからダウンロードした、マクロを含むExcelファイルを開くと、ワー
クシート上部に次のメッセージが出ます。

　　「セキュリティリスク　このファイルのソースが信頼できないため、Microsoft
　　によりマクロの実行がブロックされました。」

　これはセキュリティ強化を目的としたMicrosoftによるアップデートで
すが、これのおかげで「メールに添付して送ってもらったExcelのマクロが
使えない」といった事態も起こり、困っている現場が多いのも事実です。

　対処法として、最もかんたんなものは、ダウンロードしたファイルを開
いて、「名前をつけて保存」で別名で保存することです。その別名で保存さ
れたファイルでは、問題なくマクロが使えるようになります。要は「Web
からダウンロードしたファイルのマクロをブロックする」ということなの
で、一度別名で保存して「Webからダウンロードしたファイル」ではなく

して、そちらを使えばいい、ということです。

　ほかにもさまざまな対処法がインターネットでも紹介されていますが、Webからマクロ入りのファイルをダウンロードする……というのはさほど日常的に頻繁に起こることではないと思われます。その観点から、本書では上記の最もかんたんな対処法を推奨します。

いきなり自動化してみる 超クイックガイド

必要な設定ができたら、いよいよ手順書を書いてExcelを動かしてみましょう。

死ぬほど仕事を楽にするための基本 ～プロシージャとは

先ほども説明したSubから始まり、End Subで終わる一連のコード、これが1つの手順書なのですが、この手順書の正式名称は「プロシージャ」といいます。プロシージャ（procedure）とは、「手続き」「手順」を意味する英単語です。

このプロシージャ、Subから始まらない応用技もありますが、まずは基本としてSubから始まるものだと覚えてください。

P.35の例では、Subという単語の次に半角スペースを挟んで書かれている「sample」という文字列、これはこのプロシージャの名前として入力したものでした。プロシージャには、このように好きなように名前を付けることができますが、いくつかルールがあります。かんたんに言うと

・先頭に数字は使えない
・使える記号はアンダーバー（_）のみ
・途中に空白は入れられない
・同一モジュール上で、同じ名前は2回使えない
　（モジュールについては後述します）

この4つを押さえておけば大丈夫です。日本語でももちろん大丈夫です。

タイトルの後ろには()（カッコ）がついていますが、これは自分で入力する必要はなく、自動的に追加されるようになっています。くわしくは後

述します。このカッコの意味については、本書の補足サイトのFAQにて解説しています。

　プロシージャの最後はEnd Subとあり、これは見て想像がつくとおり、「これでこのプロシージャは終わりです」という意味になります。

　このSubとEnd Subの間に、Excelに実行させたい処理を記述していくわけです。

Excelの自動化の手順書はどこに書くのか〜標準モジュール

　では、実際にプロシージャを書いてみましょう。このようなプロシージャのコードは、関数と違って、通常のExcelシートのセルなどに入力していくわけではありません。先ほども紹介したように、VBEというプロシージャを作るための特別なツールが別途用意されているので、まずはそれを起動しましょう。すでに紹介していますが、キーボードによるショートカット [Alt] + [F11] を押すと、このようにVBEが起動されます。

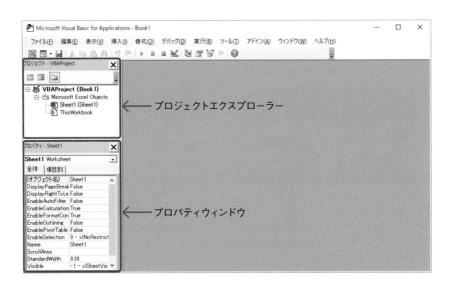

←── プロジェクトエクスプローラー

←── プロパティウィンドウ

　通常、左側に2つのウィンドウが表示されています。タイトルバー部分に「プロジェクト」と書かれているのが「プロジェクトエクスプローラー」、「プロパティ」と書かれているのが「プロパティウィンドウ」といい、この2つは頻繁に使っていくことになります。

　次に、このVBEでプロシージャを書くためのシートを追加します。このプロシージャを書くためのシートのことを「標準モジュール」と呼びます。この標準モジュールは、Excelファイルには最初は入っていないので、こうしてわざわざ追加するわけです。

　……その前に、「モジュールって何のことか？」と疑問に思いますよね。もう少し具体的にイメージをしていただくために、「プロジェクトエクスプローラー」をご覧ください。

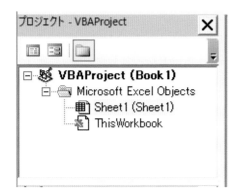

　このウィンドウを見ると、なんとなくこれはこのExcelファイルの内部構造を示したような図だと理解していただけると思います。この「Sheet1（Sheet1）」や「ThisWorkbook」といったアイコンの1つ1つが「モジュール」と呼ばれるものですが、ここに新たに通常のプロシージャ作成に使用する「標準モジュール」を追加する必要があるのです。

　では、その操作をおこなってみましょう。VBEの［挿入］メニューから、［標準モジュール］をクリックします。

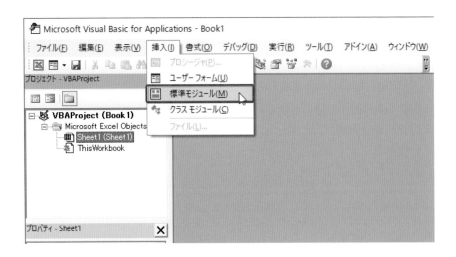

　すると、「標準モジュール」というフォルダができて、その中に
「Module1」というアイコンができました。さらに右側の大きなウィンドウ
（ここにコードを入力するので、これを「コードウィンドウ」といいます）
が白くなり、キーボードから文字を入力できる状態になりました。

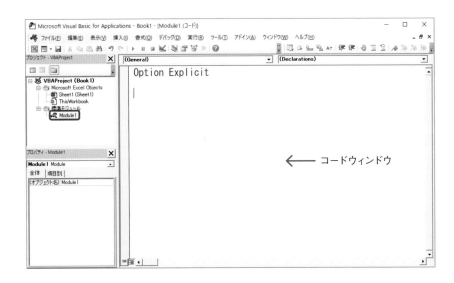

この「標準モジュール」フォルダに入っているモジュールを「標準モジュール」といい、通常はこの標準モジュールにプロシージャを書いていくことになります。

ちなみに、そのほかのモジュールは「イベント処理」（P.330を参照）の際に使います。かんたんに言うと、モジュール＝プロシージャを入力するためのシートだと考えてください。そのモジュールには、標準モジュールとそれ以外のモジュールの種類があり、まずは標準モジュールを使っていきますよ、ということです。

Excel自動化の最初の一歩

では、プロシージャを作る具体的な手順を紹介します。次の手順は、マクロ、つまりプロシージャを作る際に毎回おこなう最初の一歩になります。このあと繰り返し実践しながらマスターしていきましょう。

❶ キーボードから小文字で3文字、「sub」と入力して、Space キーを1回押す。

❷ プロシージャにつけたい任意の名前（プロシージャ名）を入力する（ここで
はsampleと入力）。

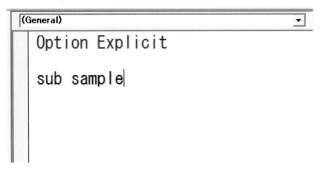

❸ [Enter]を押す。

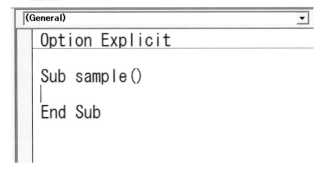

　すると、このように小文字で入力したsubの1文字めが自動的に大文字に
変わり、名前の後ろにカッコが自動的につき、2行下にEnd Subが自動的に
入力されます。このように、「sub」と入力→[Space]を入力→名前を入力
→[Enter]を押すという手順で、Subから始まりEnd Subで終わるプロシー
ジャが自動的に出来上がるようになっています。

❹ 続けて Tab キーを押す。

　出来上がったプログラムが読みやすくなるように、Tab で段落をつける作業です。このような段落を「インデント」と呼びます。

　作文と同じように、プロシージャも読みやすく理解しやすいものでなければなりません。使っていくうちに改修などしたくなった際に理解しやすく、メンテナンス性の高いプログラムを作ることが、ゆくゆくは自分自身を助けることにつながります。どのような時にインデントをつけるかは、このあと説明していきます。

　こうして、1つのプロシージャが出来上がります。このあと、このSubとEnd Subの間に処理を書いていきます。

最初に必ず書く1行を書いてみよう

　プロシージャができたら、すべてのプロシージャの1行め、冒頭に真っ先に書くべきコードをまず書いてみましょう。次の1行です。

```
Application.ScreenUpdating = False
```

　日本語に訳すと、「Excelの画面更新を停止せよ」という命令文ですが、要はプロシージャの処理をスピードアップしてくれるコードです。ApplicationとかScreenUpdatingとかちょっとスペルが長い単語を入力するのは面倒に思えますが、そのような入力を助けてくれる便利機能をVBEは備えているので、それをここで紹介します。以下の操作も、何度も繰り返すうちに、慣れてかんたんになってきます。今後出てくるWorksheet Function、ThisWorkbookなど、比較的長い単語を入力するときは、面倒なうえにスペルミスも起きやすいので、以下に紹介するショートカット Ctrl ＋ Space を活用してください。

❶ ショートカット Ctrl ＋ Space を押すと、入力候補リストが出る。

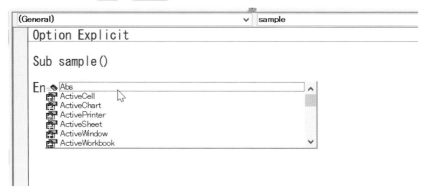

❷ キーボードで「ap」の2文字を入力すると、2つめに「Application」が出てくるので、↓ を1回押して「Application」を選択する。

❸ Tab を押すと、Applicationと補完入力される。

このように、長い単語もショートカット Ctrl + Space のおかげでラクに入力できます。

❹ さらに続けてピリオド（.）を入力すると、また入力候補リストが表示される。

❺ キーボードで「s」と入力すると、1つめに「ScreenUpdating」が出てくる。

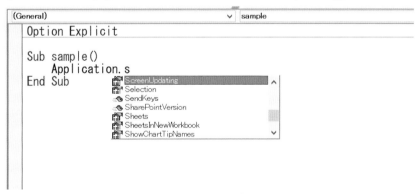

❻ [Tab]を押すと、ScreenUpdatingまでが補完入力される。

このような入力支援機能もついているのです。

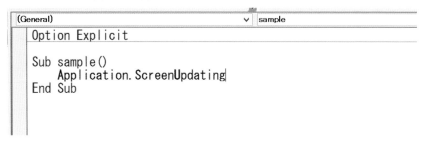

❼ =（イコール）を入力すると、FalseとTrueの二択で、また入力候補リスト
が出てきてくれる。

❽ [↓]を1回押して、Falseを選択する。

❾ Tabを押すと、=の右辺にFalseと入力される。

```
(General)                              ∨  sample

Option Explicit

Sub sample()
    Application.ScreenUpdating=False
End Sub
```

❿ Enterを押して改行すると、入力が確定する。

```
(General)                              ∨  sample

Option Explicit

Sub sample()
    Application.ScreenUpdating = False

End Sub
```

　これが、すべてのプロシージャに共通してまず最初に作成する基本形になります。

　このように、入力を補助してくれる機能は、入力を効率化するだけでなく、スペルミスなども防いでくれます。必ず使うようにしてください。そして、毎回新しくプロシージャを作ったら、まず真っ先に

```
Application.ScreenUpdating = False
```

を書くという手順を習慣化していってください。

　ただし、開発途中はこの画面更新停止の処理によって作業に支障をきたす場合があるので、先頭にシングルクオーテーションをつけて無効化しておくことを推奨します。くわしくは、補足用Webページにて解説しています。

実行させたい処理を書く

　次に、実行させたい処理を書きましょう。今回は、以下のように「現時点のシート数をメッセージ画面で表示する」というコードを紹介します。

　このように「ポップアップ画面で何かを表示する」という動作は、Excelではマクロ機能でなければできないことの1つです。このようなメッセージ画面を表示するには、VBAの関数の1つであるMsgbox関数というものを使います。

　では、先ほど作ったプロシージャの中に続けて書いてみましょう。

❶ 小文字で「msgbox」と入力して、[Space]を1回押す。

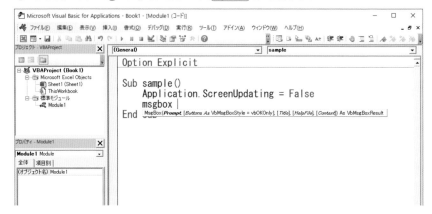

　時々、このような入力のヒントが表示されますが、これも徐々に意味がわかってくると役に立つようになってきます。

❷ 小文字で「sheets」と入力する。

```
Option Explicit

Sub sample()
    Application.ScreenUpdating = False
    msgbox sheets|
End Sub
```

　いちいち「小文字で」と言っているのにはわけがあります。あとで解説しますが、大文字で入力してはいけない理由があるのです。

❸ ピリオド（.）を入力すると、次に続く単語の入力候補リストが出てくる。

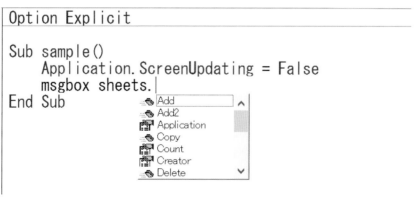

```
Option Explicit

Sub sample()
    Application.ScreenUpdating = False
    msgbox sheets.|
End Sub
```

❹ 次は「count」と入力したいので、キーボードから最初の1文字「c」を入力
すると、2つめにCountが出てくるので、⬇︎を押して選択する。

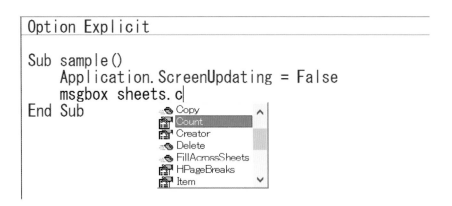

```
Option Explicit

Sub sample()
    Application.ScreenUpdating = False
    msgbox sheets.c
End Sub
```

❺ Tab を押すと、Countが入力される。

このような入力補助機能に慣れていきましょう。

```
Option Explicit

Sub sample()
    Application.ScreenUpdating = False
    msgbox sheets.Count
End Sub
```

❻ Enter を押して、この1行の入力を確定すると、小文字で入力した単語の
先頭文字が大文字に変わる。

```
Option Explicit

Sub sample()
    Application.ScreenUpdating = False
    MsgBox Sheets.Count

End Sub
```

これは、コードの1行を書いて Enter で確定した際、小文字で書いたものが大文字に変わったら、そのスペルは正しく書けているということです。逆に、各単語の先頭文字が大文字に変わらなかったら、どこかスペルがまちがっているわけです。これが「コードはすべて小文字で書いてください」と申し上げた理由です。入力確定時に大文字にならなかったら、その時点で何らかの入力ミスに気づくことができます。

プロシージャを実行する方法

これでこのプロシージャは完成です。では、このプロシージャを「実行」してみましょう。作ったプロシージャは、以下の手順ですぐに実行できます。

❶ 入力カーソルが、実行したいプロシージャのSubからEnd Subの間にあることを確認する。

なければ、SubからEnd Subの間のどこかをクリックでもして、カーソルをその間に置いてください。

❷ F5 キーを押す。

すると、プロシージャが実行されます。 F5 がプロシージャ実行のキーなのです。

このプロシージャの場合、「MsgBox Sheets.Count」という「（プロシージャを実行した時点のブック内の）シート数をメッセージボックスで表示する」という処理が実行されたわけです。[OK]をクリックすると、このプロシージャの処理は終了します。

今回は最初なのでこのような極めて単純な例で書き方を説明しましたが、このSubからEnd Subで終わるプロシージャの間にいつもの作業で発生する一連の処理を順番にVBAで書いていくことによって、数時間かかっていた作業もたった1秒、たった1クリックで完了できるような独自のExcelツールを作っていくことができるようになるのです。それは、とてもおもしろい作業です。ぜひ楽しんでください。

まとめると、新しくプロシージャを作る際は次の手順を踏むことになります。

❶ [Alt]＋[F11]を押してVBAを起動する。
❷ 標準モジュールがまだない場合は、VBEの［挿入］→［標準モジュール］を選択して追加する。
❸ sub→[Space]→タイトルの順に入力し、最後に[Enter]でプロシージャを作成→[Tab]でインデントをつける。
❹ Subから始まりEnd Subで終わるプロシージャができるので、まず真っ先に「Application.ScreenUpdating = False」を入力する。
❺ プロシージャの中に、自動化したい処理を順番に追加していく。
❻ 書いたコードを実行するには、入力カーソルが実行したいプロシージャのSubからEnd Subの間にある状態で[F5]を押す。

まずは本章で紹介したプロシージャを練習材料にして、この手順がスムーズにできるように、実際にExcelで繰り返し練習してください。特に初心者の方は、標準モジュールを追加する手順を忘れ、標準モジュール以外のモジュールにプロシージャを作るというミスが多いので、注意してください。

Excel自動化のために
最初に一度だけやっておくべき
設定の「理由」

　ここで、「最初にやっておくべき設定」でおこなっていただいた、スムーズにプロシージャを作成するために絶対に必要な設定について、なぜそれらが必要なのかを説明します。

「せっかく書いたプロシージャが消えてしまった!」を
防止するためにExcelの保存形式の変更を

　初期状態では、Excelのファイル保存形式は［Excelブック（*.xlsx）］になっています。しかし、このファイル形式のままでは、標準モジュールにプロシージャを作ってもそれを保存しておくことができません。そのため、ファイルの保存形式を以下のどちらかに変更しておく必要があるのです。

　・Excelマクロ有効ブック(*.xlsm)
　・Excel97-2003ブック(*.xls)

　Excel 2003で開くことがないのであれば、［Excelマクロ有効ブック（*.xlsm）］を選んでください。
　保存形式がExcelブック（*.xlsx）になっているファイルでプロシージャを作り、保存しようとすると、次のようなメッセージが表示されます。

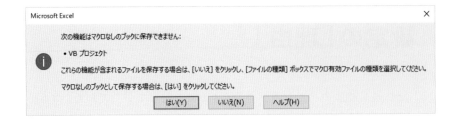

　ここでまちがえて［はい］をクリックした瞬間、作ったプロシージャは
すべて消えてしまいます。ここで［いいえ］を押してファイル形式を変更
して保存する……という手順を踏めば問題ないのですが、ここでうっかり
［はい］をクリックしてしまうという悲劇がじつにたくさん起きています。
そうした事態を招かないよう、ここで説明した保存形式の変更は最初に必
ずやっておいてください。

これをしておけば作業が快適に　〜VBEの「自動構文チェックの無効化」と「変数宣言の強制」

　VBEの「自動構文チェック」にチェックが入っていると、VBAの入力中
に構文に不備があるたびにアラート表示が立ち上がって入力作業を止めら
れてしまい、非常に煩わしくなります。

　「まちがいを指摘してくれるものなので便利だし、勉強にもなる」という
意見もあるのですが、現実のプログラミングにおいては、最初から完全な
コードを書いていくわけではありません。「詳細な条件設定などは後回し
で、まずは大枠を……」ということもあるのです。そうした際に、いちいち
「ここは文法が不完全だ！」などとアラート表示が立ち上がって入力を止
められるのは、邪魔以外の何物でもありません。また、自動構文チェック
を無効にしても、構文に文法的な不備がある場合は入力したコードが赤く
表示されるので、すぐにまちがいに気づくことができます。

　変数宣言の強制についてはあとでくわしく説明しますが、これはある種
の入力ミスや不備があった時に、あなたがそれを即座に特定できるように

しておくための設定です。必ず忘れないようにチェックを入れておいてください。この設定をしておくと、挿入した標準モジュールの一番上に「Option Explicit」という1行が最初から入力されるようになりますが、これがとても大事な役割を果たします。

第 **2** 章

基本にして最重要

——「表作成」の自動化で
仕事は劇的に速くなる

まずは超基本から
～セルへデータ・数式・関数を入力する

1回だけなら手作業で済ませることができるけど……

　Excelで作成されているものの大半は「表」です。なので、Excel作業の自動化をマスターするにあたって、まずは表作成の最も基本になる「セルへの入力」の処理の書き方を説明していきます。

　ある会社で実際におこなわれている、データ加工のExcel作業自動化の実例を見てみましょう。こちらの会社では、Webからダウンロードした CSV ファイルのデータを所定のシートに貼り付けて加工する作業が毎日おこなわれていました。その貼り付けられた状態がこちらです。「データ加工」というシートにデータが貼り付けられています。また、これとは別に「マスタ」というシートがあり、その A列と B列に都道府県と支社名の一覧表が用意してあるとします。

	A	B	C	D	E	F	G	H
	販売年月	小売店県名	商品コード	商品名	売上金額	年	支社名	売上判定
1	販売年月	小売店県名	商品コード	商品名	売上金額	年	支社名	売上判定
2	202401	愛知県	27210786	アサヒ本生	2992920			
3	202401	愛知県	27220883	のどごし生	136920			
4	202401	愛知県	27220957	ジョッキ生	997920			
5	202401	愛知県	27220985	サントリー金麦	56448			
6	202401	愛知県	27260317	アサヒスーパードライ	40320			
7	202401	愛知県	27260665	キリン一番絞り	794640			
8	202401	愛知県	27350171	サッポロ黒ラベル	6670			
9	202401	愛知県	27350921	キリン淡麗グリーンラベル	17342			
10	202401	愛媛県	27210786	アサヒ本生	286440			
11								

（セル参照欄には A1、数式バーには「販売年月」と表示されている）

　データは A列から E列までの5列ありますが、ここからの作業内容は「このシートの F列から H列までの3列に、新たにデータを入力する」というも

のになります。入力する内容は以下のとおりです。

- ・F列のセルには、A列のセルの左から4文字分を入力する。
- ・G列のセルには、B列の小売店県名を支社名に変換するVLOOKUP関数を使って支社名を入力する。
- ・H列のセルには、E列の売上金額が50万以上だったらA、そうでなかったらBを入力する。

この作業は、1回やるだけなら、次のような手作業で済ませてしまうことができるものです。

❶ F2セルに次の関数式を入力する。
```
=LEFT(A2,4)
```

❷ G2セルに次の関数式を入力する。
```
=VLOOKUP(B2,マスタ!A:B,2,0)
```

❸ H2セルに次の関数式を入力する。
```
=IF(E2>=500000,"A","B")
```

❹ F2セルからH2セルを選択して、データを最下端行までコピーする。

これを1回やるだけなら、わざわざ自動化などしようとする必要はありません。しかし、この作業を定期的に、しかも何度も繰り返しやることになっている場合——たとえば、同じ作業をあと10枚あるシートで繰り返しやらないといけないとか、毎日この作業が発生しているならば、自動化をすることで瞬時に終わり、大幅に時短と省力化ができることになります。「作業ミスの防止」という観点からも、自動化が必須です。

この作業であれば、たとえば次のようなプロシージャで自動化することができます。

```
Option Explicit

Sub データ追加()
    Application.ScreenUpdating = False
    Dim i As Long
    With Sheets("データ追加")
        For i = 2 To .Cells(.Rows.Count, 1).End(xlUp).Row
            .Cells(i, 6) = Left(.Cells(i, 1), 4)
            .Cells(i, 7) = WorksheetFunction.VLookup( _
                .Cells(i, 2), Sheets("マスタ").Range("A:B"), 2, 0)
            If .Cells(i, 5) >= 500000 Then
                .Cells(i, 8) = "A"
            Else
                .Cells(i, 8) = "B"
            End If
        Next
    End With
End Sub
```

わかる人は処理をどう読み解いているか

　解説に入る前に、わかる人がこれを解読する際にどんな風に読んでいく
のか、ちょっと頭の中をのぞいてみましょう。

　「Withがあるから……End Withまでの間に書かれてる、ピリオド（.）が
先頭についたCellsは"データ追加"シートのセルで……」

　「Forがあるから、Nextまでの間の処理を反復する。その反復する処理っ
てのが……」

　「まず、6列めだからF列のセルに……Left関数で、A列のセルの左から4
文字を取って入力……」

　「次に、7列めだからG列のセルに……VLookup関数でなんか入れてる。
B列のセルを検索値にして、"マスタ"シートのA:Bの2列めを参照してるの
か……」

　「で、If Then構文だから条件分岐……5列めってことは、E列の値が50
万以上だったら8列め……つまりH列のセルにA、そうじゃなかったらBを
入力」

　「つまり、F、G、H列へのデータ入力を、2行めから、A列のデータ最終

行まで繰り返せというわけか……」

このような感じで読み解いていくことができます。

プロシージャの処理内容は、この呟きのとおり、先ほど示した手順にあるF列、G列、H列への関数処理を伴ったセルへのデータ入力を、「2行めからデータの最終行まで繰り返しおこなう」というものです。このプロシージャを通じて、以下の必須知識を身につけましょう。

- For Next構文…ForとNextの間に書かれた内容を繰り返し処理する
- With構文……何度も同じ指定をする面倒やしつこさを解消する
- If Then構文……IF関数の役割を果たす
- Dimという単語の意味、「変数の宣言」とは
- 関数の使い方
- 1行が長いコードを途中で改行して入力する方法

セルにデータを入力するには

では、まず基本中の基本として、Excelの代表的な作業であるセルへのデータ入力処理の書き方を見ていきましょう。セルにデータを入力するには、以下の2つのことを指定します。

- どのセルに入力するか
- 何を入力するか

まずは「どのセルに入力するか」、つまり操作対象（「オブジェクト」といいます）となるセルの指定方法です。VBAでセルを表す単語には、次の2つがあります。

- Range（レンジ）
- Cells（セルズ）

この2つの使い分けについては、セルの指定において、このあと説明する「変数」を使う場合はCells、「変数」を使わない場合はRangeと覚えてください。

　たとえば、操作対象としてC5セルを指定する場合は、それぞれ次のように書きます。

【Rangeの場合】

```
Range("C5")
```

　このように、Rangeのあとに()（カッコ）を書き、さらにその中にダブルクオーテーション（"）で囲みながら、操作対象となるセル番地を入力します。

　この時、セル番地の列記号は大文字で入力することを強くおすすめしておきます。理由は読みやすさです。小文字でも文法的には問題なく、基本的には動作するのですが、まれにエラーの原因となることがあります。大文字で書いておけば、そのようなリスクはなくなります。

【Cellsの場合】

```
Cells(5,3)
```

　Cellsを使う場合は、このように、()の中にカンマ（,）で区切って、指定したいセルの行番号と列番号を入力します。C5セルはシートの5行め、3列めにありますね。なので、Cells(5,3)というように、カッコの中のカンマの手前に行番号、カンマの後に列番号を入力して指定します。

　また、列番号がすぐに何列めだかわからないセルの指定で、数えたりCOLUMN関数で確認するのも面倒……という場合は、

```
Cells(5,"C")
```

というように、ダブルクオーテーション（"）で囲んだ列記号を入力する形

式でも列を指定することができます。

　では次に、こうして指定したセルにデータを入力する処理の記述方法を見ていきましょう。

数値を入力するには

　まずは数値です。とってもかんたんで、たとえばC5セルに数値を100と入力する処理は、次のように書きます。

```
Range("C5") = 100
```

❶ まず入力先のセル指定、つまり入力したい値を入れる「入れ物」を書く。
❷ イコール（＝）を入力する。
❸ イコールの右辺に入力したい値を書く。

　これだけです。Cellsを使う場合も同様です。

　この＝記号は「等しい」という意味ではなく、「右辺の値を左辺の入れ物に入れる」（代入演算子）という意味で理解してください。

　このように、セルに値を入力する処理で使う＝記号は、「を」と訳します。たとえば、

```
Range("C5") = 100
```

ならば「C5セルを100にする」と訳せます。

文字列を入力するには

　文字列を入力する場合は、次のように入力したい文字列をダブルクオーテーション（"）で囲みます。

```
Range("C5") = "株式会社すごい改善"
```

　ちなみに、一般的には、セルに値を入れる処理は

```
Range("A1").Value = 100
```

というように、セル指定のあとにピリオド (.) でつなげて「Value」という単語を入力すると説明されます。ただ、セルに値を入力する処理ではこの「Value」は省略することが可能なので、本書では省略形で解説を進めます。理由は「このほうが読みやすいから」「入力がラクだから」「文法的に省略可だから」です（くわしくは補足サイトを参照）。

▌セルに値が入る様子を見てみる

　では、セルにデータを入力するプロシージャを作って実行し、セルに値が入る様子を見てみましょう。Excel作業の自動化で真っ先に覚えていただきたい基本中の基本です。パソコンで実際に作業できる場合は、いっしょにやってみてください。

　まずはExcelを立ち上げ、Alt + F11を押してVBEを起動→標準モジュールを1つ挿入→プロシージャを1つ作成してください。名前は何でも大丈夫ですが、ここでも「sample」としておきましょう。プロシージャの作り方を忘れてしまっていたら、第1章で復習してください。

```
(General)
Option Explicit

Sub sample()

End Sub
```

次に「range("C5")」と入力していくのですが、ここでRangeという単語によるセル指定のおすすめの方法を紹介します。

❶ まず、小文字で「range()」とカッコまで入力してしまう。

```
(General)
Option Explicit

Sub sample()
    range()|
End Sub
```

❷ カーソルキーの左←を1回押してカッコの中に入力カーソルを入れ、ダブルクオーテーション(")を2つ入力する。

```
(General)
Option Explicit

Sub sample()
    range("")|
End Sub
```

❸ カーソルキーの左←を1回押してダブルクオーテーションの中に入力カーソルを入れ、「C5」と指定したいセルの番地を入力する(列記号は大文字で入力)。

```
(General)
Option Explicit

Sub sample()
    range ("C5|")
End Sub
```

❹ カーソルキーの右 →を2回押してカッコの外にカーソルを出し、続けてイコール（=）、セルに入力したい数値を続けて入力する。

```
(General)
    Option Explicit

Sub sample()
    range ("C5")=100|
End Sub
```

❺ 最後に Enter を押すと、改行されて、この行の入力が確定する。

```
(General)
    Option Explicit

Sub sample()
    Range("C5") = 100
    |
End Sub
```

　文法やスペルにミスがなければ、小文字で入力したrangeの頭文字が自動的に大文字に変わります。また、=の前後のスペースが微妙に自動で広がります。

　入力にミスがある場合……たとえばカッコ内のダブルクオーテーション（"）が1つない状態で Enter を押すと、以下のようにrangeの頭文字が大文字にならず、この1行が赤文字に変わってしまいます。

```
(General)
    Option Explicit

Sub sample()
    range ("C5)=100
    |
End Sub
```

このように、「入力した単語の頭文字が大文字にならない」「その行全体が赤文字になる」という合図で、入力にミスがあることを知らせてくれるようになっているので、覚えておいてください。

では、このプロシージャを実行して、C5セルに100が入力されるか確認してみましょう。復習ですが、プロシージャを実行するには、実行したいプロシージャのSubとEnd Subの間に入力カーソルがある状態で、F5を1回押します。すると、現在選択中のシート、つまり「アクティブシート」のC5セルに、100と入力されます。

() (カッコ) やダブルクオーテーション (") といった「枠組み」を作ってからその中身を入れるという考え方は、このあとでも重要になってきます。手順的にスムーズになります。

数式の入力方法と注意点

以上のように、数字や文字を入力するのはとてもかんたんです。ただ、当然ながら、実務においてセルに入力するのはそのような固定値ばかりではありません。むしろ、数式や関数を使ってセルに値を入力することのほうが多くなります。

四則演算などの数式については、シート上でセルに入力する際と同じ演算子を使って式を作ることができます。たとえば、A3セルに、A1セルとA2セルの数値を足し算、引き算、かけ算、割り算、文字列結合した値を入

力する処理は、それぞれ次のような書き方になります。

- ・足し算　→　Range("A3") = Range("A1") + Range("A2")
- ・引き算　→　Range("A3") = Range("A1") - Range("A2")
- ・かけ算　→　Range("A3") = Range("A1") * Range("A2")
- ・割り算　→　Range("A3") = Range("A1") / Range("A2")
- ・文字列結合　→　Range("A3") = Range("A1") & Range("A2")

また、「A2セルの数値に1.1をかけ算して、A3セルに入力する」という処理は、次のような書き方になります。

```
Range("A3") = Range("A2") * 1.1
```

　ここで認識しておいていただきたいのは、このような場合は「セルには計算結果の値のみが入力される」ということです。

　たとえば、A1セルに1、A2セルに2が入力されている時、この2つのセルの合計をA3セルに入れるとしましょう。セルに直接数式を入力する場合は、A3セルに次のように入力します。

```
=A1+A2
```

　こう入力して Enter を押すと、A3セルには数式の出す答えとして「3」という数字が表示されます。

　しかし、このA3セルに実際に入っているのは「3」という数字ではなく、あくまでも「=A1+A2」という数式ですね。このような形であれば、単純な話、A3セルをクリックして数式バーを見れば「このセルはA1セルとA2セルを足し算しているんだな」というようにそのセルでどのような数式処理をしているかがわかります。

　ところが、同じケースで

```
Range("A3") = Range("A1") + Range("A2")
```

という処理が実行された結果、A3セルに入力されるのは、A1セルをA2セルを足し算した結果である「3」という値のみだということです。たまに困るのは、このようにプロシージャで計算した結果を入力する場合、そのセルの値がどんな計算をした結果のものなのかが、セルを見ただけではわからなくなってしまうことです。もちろん、VBEを立ち上げ、プロシージャを確認して

```
Range("A3") = Range("A1") + Range("A2")
```

というコードを見れば「A1セルとA2セルを足した数をA3セルに入れてるんだな」ということはわかるのですが、確認の手間はかかります。計算結果の値のみが入力されるということでファイルが軽くなるなどのメリットはありますが、シート上でセルの数式を確認できないために余計な確認の手間がかかるケースがあるのも事実です。

　そのようなケースでは、セルへの数式入力として、次のような書き方も可能です。

```
Range("A3") = "=A1+A2"
```

　この形であれば、"の中に書いたとおりの数式がA3セルに入力されることになります。
　この「セルには計算結果の値のみが入力される」という特徴は、次に説明する関数での入力の場合も同様です。

VLOOKUP関数はそのままじゃ使えない
～Excel作業の自動化で関数を使う際の注意点

シート上でセルに入力して使われる、SUM関数やVLOOKUP関数などの関数は、もちろんプロシージャでも使うことができます。ただ、プロシージャ内で使う関数は大きく分けて2種類あります。

・関数名の前に「WorksheetFunction.」と入力する必要があるもの
・「WorksheetFunction.」と入力する必要がないもの

便宜上、前者を「ワークシート関数」、後者を「VBA関数」と呼びます。それぞれ、くわしく説明します。

Left関数のような文字列操作関数、YearやMonthのような日付関数などは、関数名の前に「WorksheetFunction.」と書く必要はありません。

まず、「WorksheetFunction.」をつけなくていいVBA関数の書き方から見ていきましょう。たとえば、A1セルの文字列の左から4文字だけを抽出してB1セルに入力する処理をおこなう場合。この処理のため、セルに直接関数を入力する場合は、次のようなLEFT関数の式をB1セルに入れます。

```
=LEFT(A1,4)
```

この処理は、VBAでは次のようなコードになります。

```
Range("B1") = Left(Range("A1"), 4)
```

このように、関数名、また関数の引数の指定については、ほとんどの関数で、シートのセルに関数を入力する際と同じ形になります。ただ、いくつか例外があるので、注意が必要です（補足サイトを参照）。

次に、「WorksheetFunction.」と書かなければ使えないワークシート関数を見てみましょう。代表例が、Sum、Counta、Sumif、Countifといった数

値集計の関数、またVLookupやMatchなどです。一番基本的な関数の1つである Sum 関数をマクロで使う場合を例に、書き方を見てみましょう。

A11 セルに、A2 セルから A10 セルまでの範囲の数値の合計値を入力する場合は、こうなります。

```
Range("A11") = WorksheetFunction.Sum(Range("A2:A10"))
```

単純に、WorksheetFunction という単語と Sum という関数名をピリオド (.) でつないでいるだけです。

この WorksheetFunction を付けるものと付けないものについては、補足サイトにて解説しています。

IF関数の代わりに使うものとは

Excel の超基本関数である IF 関数ですが、じつはこれに該当する関数は VBA にはありません。ではどうやって IF 関数と同様の処理、つまり条件分岐をおこなうかというと、If Then 構文というものを使います。

IF関数の書式は以下のものでした（IF関数の詳細は『たった1日で即戦力なる Excel の教科書』P.72 を参照）。

=IF(論理式,真の場合,偽の場合)

これに対して、If Then 構文は次のようなパターンになります。

【If Then構文】
  If 論理式 Then
    真の場合
  Else
    偽の場合
  End if

たとえば、「A1セルの値が80以上であればB1セルにA、そうでなければB1セルにBと入力する」という処理をおこなう場合、セルにIF関数を入力する方法であれば、B1セルに次の式を入力することになります。

```
=IF(A1>=80,"A","B")
```

この作業は、VBAでは次のように記述します。

```
If Range("A1") >= 80 Then
    Range("B1") = "A"
Else
    Range("B1") = "B"
End If
```

IF関数を使える方であれば、このIf Then構文もすぐに理解できると思います。

　・Ifで始まり、End Ifで終わる
　・Ifの行は、論理式のあとにThenという「ならば」といった意味合いの単語を書く
　・Elseの手前の行に、真の場合の処理を書く
　・Elseの次の行に、偽の場合の処理を書く

このようになります。

サンドイッチ構文の2つのポイント

　ここで強調しておきたいのは、このIf Then構文は

「Ifで始まり、End Ifで終わる」

ということです。何度か出てきている「For Next構文」も、Forで始まり、Nextで終わります。

　このように、「〜で始まり、〜で終わる」という、決まった組み合わせのキーワードで間に処理をはさむサンドイッチ型の構文がVBAにはいくつかあります。プロシージャそのものも、「Subで始まり、End Subで終わる」という構造になっていますよね。

　このような、決まった組み合わせの2つの単語で、その間に何らかの処理のコードをはさむ構文を、本書では「サンドイッチ構文」と呼ぶことにします。このサンドイッチ構文は6種類あり、If Then構文もその1つというわけなのですが、このサンドイッチ構文の書き方には大事なポイントが2つあります。

・始まりと終わりを先に書いてから中身を書く
・中身は Tab でインデント（段落）を付けて読みやすくする

　この2つのポイントについて、サンドイッチ構文の中でも最重要の「For Next構文」で解説します。

Excel作業に時間がかかる原因を解消してくれる最強の呪文
～「反復」のFor Next構文

■ コピペやオートフィルをそのまま書こうとしない

本章冒頭の作業事例をもう一度見てみましょう。

❶ F2セルに、A2セルの左から4文字分を入力する。

❷ G2のセルに、B2セルの小売店県名を支社名に変換するVLOOKUP関数を使って支社名を入力する（数式は以下）。

(=VLOOKUP(B2,マスタ!A:B,2,0))

❸ E2セルの値が50万以上だったらA、そうでなかったらBをH2セルに入力する。

ここまでの作業をVBAで書くと、次のようになります。

```
Cells(2, 6) = Left(Cells(2, 1), 4)
Cells(2, 7) = WorksheetFunction.VLookup(Cells(2, 2), Sheets("マスタ").Range("A:B"), 2, 0)
If Cells(2, 5) >= 500000 Then
    Cells(2, 8) = "A"
Else
    Cells(2, 8) = "B"
End If
```

❹ F2セルからH2セルを選択して、データを最下端行までコピーする。

問題は、最後の❹のコピー作業です。

面倒なExcel作業をマクロを使って自動化するなら、まず「手作業ならどのような手順になるかを、日本語で書いてみる」ことが重要です。手作業であればF2セル、G2セル、H2セルに関数を入力して、この3つのセルを選択→選択範囲右下のフィルハンドルをダブルクリックしてデータ最下端行までコピーする、という作業になります。

しかし、ここで1つ発想の転換が必要になります。このような「データの連続入力」については、手作業でおこなうコピペやオートフィルといった機能をそのままVBAで書こうというのではなく、「2行めでおこなった入力を最終行まで繰り返す」という考え方をここでは採用します。そして、そのような繰り返し作業を自動化してくれるのが、第1章ではフォルダ作成という処理の繰り返しを自動化する事例で紹介した「For Next構文」です。

【For Next構文】
```
For 変数 = 初期値 To 終了値
    処理
Next
```

　For Next構文は、ForとNextの間に書かれた処理を繰り返します。その反復は、Forの後に書かれた変数が初期値から終了値になるまで繰り返されます。初期値と終了値とはいずれも数値であり、基本的には初期値より終了値のほうが大きい数字になります。

指定するセルの行数を次々に変化させる　〜変数

　まず、F列のLeft関数の処理を例に、For Next構文で2行めから最終行まで関数で処理した値を入力させる処理を検討してみましょう。

```
Cells(2,6) = Left(Cells(2,1), 4)
```

　この処理をたとえ何回繰り返し実行しても、Cells(2,6)、つまりF2セルにしかデータは入りません。Cellsの行数指定に「2」という固定値が書いてありますから、当然2行めしか処理されません。
　では、この処理を2行めから最終行まで繰り返させるにはどうすればいいのでしょうか。ここでは、次のように考えます。

「指定するセルの行数を、2から10まで、順に1ずつ増えるように変更しながら、繰り返し処理する」

　そのためには、Cellsの行数指定に、上記のコードのように「2」などの固定値ではなく、「変数」というものを使います。変数は、さまざまな数値や文字を入れることのできる文字のことです。アルファベットでも日本語の文字でも、変数として使うことができます。

　変数についてまず最初に知っておかなければならないのは、変数を使う場合は「変数の宣言」と呼ばれる処理を先に書く必要があるということです。この変数の宣言には、「Dim」（ディム）という単語を使います。たとえば、小文字のアルファベット「i」を変数として使う場合は、次のような「変数iを宣言する」という意味の処理を先に書きます。

```
Dim i
```

　これで、変数としてiが使えるようになります。Dimという単語のあとに、半角スペースを挟んで、変数に使いたい文字を書くだけです。なぜそんな「宣言」をしないと変数は使えないのか、という理由はP.182で解説します。

　次に、この変数iに、数字の2になってもらう処理を見てみましょう。

```
i = 2
```

　この処理によって、この変数iは「2」という数値として使えるようになります。変数iに「2」という数値を入れるという処理だと理解してください。

　セルへの入力方法のところで、=記号というのは右辺の値を左辺の入れ物に入れる記号だと説明しました（P.75を参照）。同様に、「変数」とは、文字や数字などを入れておくことのできる「入れ物」というイメージで理解してください。

　次のプロシージャで、変数に値を入れ、その変数を使う、というかんた

んな例を見てください。

```
(General)
    Option Explicit

Sub sample()
    Dim i ←①
    i = 2 ←②
    MsgBox i ←③
End Sub
```

このプロシージャは、次のような処理をおこないます。

① 変数iを宣言する。
② 変数iに2という値を入れる。
③ その変数iの値（2ですね）がメッセージボックスで表示される。

　変数iに2が入ると、その変数iは「2」という数字として使えるというこ
とです。

入力するセルの行数を次々に変えることで関数を連続入力させる

では、変数を、セルの行数指定に使ってみましょう。

```
Cells(i,6) = Left(Cells(i,1), 4)
```

このセルの行数指定に使われている変数iを、2から10まで1ずつ増やしながらこの処理を繰り返させるのがFor Next構文です。この処理を、For Next構文のForとNextの間に書きます。このように、セルの指定に変数を使う場合は、RangeではなくCellsを使います（くわしくは補足サイトを参照）。

```
For i = 2 To 10
    Cells(i, 6) = Left(Cells(i, 1), 4)
Next
```

このコードを実行すると、シートの6列め、つまりF列の2行めから10行めに、Left関数で処理された値が次々に入力されていくことになります。

では、ここでいったんこのFor Next構文の実際の入力手順を見てみましょう。実際にExcelで入力練習をする場合は、サンプルデータ「第2章演習.xls」を使用してください。

❶ サンプルデータ「第2章演習.xls」を開き、Alt ＋ F11 でVBEを起動→標準モジュールを挿入する。

❷ プロシージャを1つ作る（名前は何でもいいが、ここでは「sample」としておく）。画面更新停止のコードまで入力して、プロシージャの基本形まで仕上げる（P.55を参照）。

❸ 変数iを宣言、「dim i」とすべて小文字で入力して Enter を押す。

```
(General)
Option Explicit

Sub sample()
    Application.ScreenUpdating = False
    Dim i

End Sub
```

❹ for i=2 to 10と入力する。

```
(General)
Option Explicit

Sub sample()
    Application.ScreenUpdating = False
    Dim i
    for i=2 to 10
End Sub
```

❺ Enter を2回押して、2行下に「next」と入力する。

```
(General)
Option Explicit

Sub sample()
    Application.ScreenUpdating = False
    Dim i
    For i = 2 To 10

    next
End Sub
```

❻ ⬆️を押してForの行とNextの行の間に入力カーソルを入れ、Tab を1回押す。

```
(General)                                              ▼
   Option Explicit

   Sub sample()
       Application.ScreenUpdating = False
       Dim i
       For i = 2 To 10
           |
       Next
   End Sub
```

　これで、ForとNextの間に書かれた処理内容が繰り返し実行される構造ができました。大事なのは、ここで紹介した手順のように「Forの行を書いたら、次に2行下にNextを書く」ということです。具体的な手順としては

　Forの行を書いたら Enter を2回押す
→Nextを書く
→⬆️を押す
→Tab を押す

という流れでスムーズにコードが書けるようになります。
　なぜ先にNextを書いておくべきかというと、Forの行を書いた次の行に繰り返しおこなう処理内容を書いていくと、最後にNextを書き忘れるミスが起こりやすくなるからです。このルールは、ほかのサンドイッチ構文すべてにあてはまります。「枠を書いてから中身を書く」ということを守ると、スムーズにプロシージャを書いていけるようになります。
　では、続けて書いていきましょう。

❼ やはりすべて小文字で、以下のように入力する。

cells(i, 6) = left(cells(i, 1), 4)

```
(General)                                                    ▼

    Option Explicit

    Sub sample()
        Application.ScreenUpdating = False
        Dim i
        For i = 2 To 10
            cells(i,6)=left(cells(i,1),4)|
        Next
    End Sub
```

❽ ↑か↓を押してカーソルを入力中の行からずらすと、入力が確定する。

```
(General)                                                    ▼

    Option Explicit

    Sub sample()
        Application.ScreenUpdating = False
        Dim i
        For i = 2 To 10
            Cells(i, 6) = Left(Cells(i, 1), 4)
        Next|
    End Sub
```

　これで、「データ加工」シートのF列（6列めですね）の2行めから10行め
に、Left関数でA列のセルの左から4文字だけを取り出して入力するプロ
シージャが完成しました。

　さっそく実行してみましょう。SubとEnd Subの間に入力カーソルがあ
る状態でF5を押して実行すると、関数入力の処理があっという間に実行
されます。

	A	B	C	D	E	F	G	H
1	販売年月	小売店県名	商品コード	商品名	売上金額	年	支社名	売上判定
2	202401	愛知県	27210786	アサヒ本生	2992920	2024		
3	202401	愛知県	27220883	のどごし生	136920	2024		
4	202401	愛知県	27220957	ジョッキ生	997920	2024		
5	202401	愛知県	27220985	サントリー金麦	56448	2024		
6	202401	愛知県	27260317	アサヒスーパードライ	40320	2024		
7	202401	愛知県	27260665	キリン一番絞り	794640	2024		
8	202401	愛知県	27350171	サッポロ黒ラベル	6670	2024		
9	202401	愛知県	27350921	キリン淡麗グリーンラベル	17342	2024		
10	202401	愛媛県	27210786	アサヒ本生	286440	2024		
11								

COLUMN

Enterで空白を空けたくない場合は

　コードは1行ずつEnterで入力を確定していきますが、Enterだと今回の場合5行めと6行めの間に空白行ができてしまいます。空白行ができても処理に影響はないのですが、できあがったコードの読みやすさなどから空白を空けたくない場合は、今回のように矢印キー↑か↓を押すことで入力を確定させることもできます。

どのような仕事がされているかを1つずつ確かめながら進めていこう　〜ステップイン実行

　では、このFor Next構文による「反復」の処理は、実際にどのように進んでいるのでしょうか。しっかり確かめる方法をここで紹介します。

　VBE起動時のプロシージャの実行方法には、F5で一気にすべて処理を実行する方法ともう1つ、プロシージャの処理内容を1行ずつ確認しながら実行できる「ステップイン」という方法があります。このステップイン実行にはF8を使います。

実行したいプロシージャのSubとEnd Subの間に入力カーソルがある状態で F8 を押すと、次のようにプロシージャの先頭行が黄色くなります。

```
⇨ Sub sample()
      Application.ScreenUpdating = False
      Dim i
      For i = 2 To 10
          Cells(i, 6) = Left(Cells(i, 1), 4)
      Next
   End Sub
```

　もう一度 F8 を押すと、黄色が次の行に移ります。このように、プロシージャは上から下に向かって1行ずつ処理されていくのです。

```
   Sub sample()
⇨     Application.ScreenUpdating = False
      Dim i
      For i = 2 To 10
          Cells(i, 6) = Left(Cells(i, 1), 4)
      Next
   End Sub
```

　このステップイン実行時に、変数の上にマウスカーソルを合わせると、その時点でその変数に入っている値が表示されます。この時点では変数iはEmpty値……つまり変数iは空っぽ、何も入っていないということです。

```
   Sub sample()
⇨     Application.ScreenUpdating = False
      Dim i
      For I = 2 To 10
       i = Empty 値  i, 6) = Left(Cells(i, 1), 4)
         Next
   End Sub
```

　次に F8 を押すと、Forの行が黄色くなります。

```
Sub sample()
    Application.ScreenUpdating = False
    Dim i
⇨|  For i = 2 To 10
        Cells(i, 6) = Left(Cells(i, 1), 4)
    Next
End Sub
```

　ちなみにこの黄色の意味は、ここが実行中の行だという意味ではなく、「これからこの行を実行します」という意味です。ですから、次に F8 を押すと、このForの行の処理が実行され、変数iにFor Next構文の初期値である2が入ります。

　では、F8 を押して確認してみましょう。Left関数で処理した値をF列のセルに入力する処理の行に黄色が移ります。変数iの上にマウスカーソルを合わせると、「変数iには2が入っている」という意味の表示が出ます。

```
Sub sample()
    Application.ScreenUpdating = False
    Dim i
    For i = 2 To 10
⇨      Cells(i, 6) = Left(Cells(i, 1), 4)
    Next    i = 2
End Sub
```

　次に F8 を押すと、Cells(2,6)、つまりF2セルにLeft関数で処理された値が入力されます。

	A	B	C	D	E	F	G	H
1	販売年月	小売店県名	商品コード	商品名	売上金額	年	支社名	売上判定
2	202401	愛知県	27210786	アサヒ本生	2992920	2024		
3	202401	愛知県	27220883	のどごし生	136920			
4	202401	愛知県	27220957	ジョッキ生	997920			
5	202401	愛知県	27220985	サントリー金麦	56448			
6	202401	愛知県	27260317	アサヒスーパードライ	40320			
7	202401	愛知県	27260665	キリン一番絞り	794640			
8	202401	愛知県	27350171	サッポロ黒ラベル	6670			
9	202401	愛知県	27350921	キリン淡麗グリーンラベル	17342			
10	202401	愛媛県	27210786	アサヒ本生	286440			

そして、黄色はNextの行に移ります。

```
Sub sample()
    Application.ScreenUpdating = False
    Dim i
    For i = 2 To 10
        Cells(i, 6) = Left(Cells(i, 1), 4)
⇨   Next
End Sub
```

さらに F8 を押してこのNextの行を実行すると、変数iの値は3に変わり、
1つ上の行に戻ります。

```
Sub sample()
    Application.ScreenUpdating = False
    Dim i
    For i = 2 To 10
⇨       Cells(i, 6) = Left(Cells(i, 1), 4)
    Next    i = 3
End Sub
```

F8 を押してこの黄色の行が実行されると、次はF列の3行めにデータが
入力され、黄色はNextの行に移ります。そして、Nextの行が実行されると、
今度は変数iの値は4になって1つ上の行に戻り、4行めにデータを入力
……というように、ForとNextの間の処理が、変数iが2から始まって10に
なるまで繰り返されることになります。実際にこのプロシージャを作って
みたら、F8 を押しながら、黄色がNextの行と、ForとNextの間に書かれた
処理の行とを行ったり来たりする様子を確認してみてください。

このようにして、For Next構文は、間に書かれた処理を繰り返すのです。

実際にサンプルファイル「第2章演習.xls」で試してみた方は、同ファイ
ルは保存せず閉じてください。本章最後の演習で再度使用します。

処理するデータの数は毎回変わる、その変化に臨機応変に対応できなければ意味がない

先ほどの例では、2行めから10行めまでということなので、For Next構文の終了値に「10」を指定しました。しかし、実際には扱うデータの行数は常に変わるのが普通です。なので、終了値を「10」などの固定値で指定していては、毎回処理するたびにデータが何行あるのかを確認してプロシージャを修正しなければならなくなり、実用的ではありません。

その問題の解決策として、何行めまで処理するかは毎回自動で確認させる工夫を加えましょう。For Next構文の終了値の指定に、「Cells(Rows.Count, 1).End(xlUp).Row」というコードを使います。

```
For i = 2 To Cells(Rows.Count, 1).End(xlUp).Row
    Cells(i, 6) = Left(Cells(i, 1), 4)
Next
```

これであれば、データの行数が変わっても問題なく使えるようになります。「Cells(Rows.Count, 1).End(xlUp).Row」は、ここではまず「A列の何行めまでデータが入力されてるか」を調べるものと理解して使ってください。

セルは「どのシートのセルか」 まで指定する
～シートの指定方法

　ここまで、値の入力や関数の引数など、処理に使うセルの指定はRangeかCellsという単語を使うと説明してきました。A1セルなら「Range("A1")」または「Cells(1,1)」と書くわけですが、実際には、セルの指定は「どのシートのセルか」まで含めて指定する必要があります。

　ここまでのように、ただ「Range("A1")」とだけ……つまりどのシートのセルかを指定しないで書いた場合、そのA1セルとはアクティブシート、つまりプロシージャの実行時に選択中のシートのA1セルということになるのです。

　ここからは、必ずシート指定も含めてセルを指定していきます。

シートを指定する最も基本的な方法

　シートの指定方法は3通りありますが、ここでは最も基本的なものを紹介します。そのほかの方法と使い分け方、メリットやデメリットについては、補足サイトで別途紹介します。

　たとえば、「データ追加」という名前のシートは、以下のように書きます。

Worksheets("データ追加")

　Rangeと同じですね。カッコの中にダブルクオーテーション (") を書いて、その中に指定したいシート名を入力します。

　ただ本書では、以下の書き方で解説していきます。

Sheets("データ追加")

　この2つの違いについても補足サイトで解説していますが、本書がSheets

を採用するのは「こっちのほうが短いので書くのがラク」という理由です。いずれの場合も、この指定方法の場合、実際のシート名と完全に同一の文字列である必要があるので、シートタブからコピペで入力するのが確実です。

　「マスタ」というシートのA列からB列を指定する場合は、以下のように書きます。

```
Sheets("マスタ").Range("A:B")
```

　シートの指定とセルの指定をピリオド (.) でつなぐだけです。このピリオドは「の」と読みます。「"マスタ"シートの範囲A:B」を指定しているということです。

　基本的には、すべてのセル指定は、このようにシートも指定したうえで書きます。しかし、同じシートのセルを何度も指定する場合、その都度シートを指定しながら書くのは非常に非効率で、以下のように見た目にも読みづらいコードになってしまいます。

```
For i = 2 To Sheets("データ追加").Cells(Sheets("データ追加").Rows.Count, 1).End(xlUp).Row
    Sheets("データ追加").Cells(i, 6) = Left(Sheets("データ追加").Cells(i, 1), 4)
Next
```
　　　　　　同じシート指定が4回も繰り返されている

▌シートの一括指定で書くのも理解するのもラクに
　〜With構文

　そこで役立つのが、「With構文」です。With構文を使うと、以下のように記述をすっきりさせることができます。

```
With Sheets("データ追加")
    For i = 2 To .Cells(.Rows.Count, 1).End(xlUp).Row
        .Cells(i, 6) = Left(.Cells(i, 1), 4)
    Next
End With
```

　With構文は、Withで始まり、End Withで終わります。Withの半角スペースあとに一括指定したいシート指定を1回書くだけでよくなります。

　そして、WithとEnd Withの間のコードで、いくつかCellsの先頭にピリオド (.) が追加されています。これは、そのピリオドがついているセルは、Withのあとに書かれているシート、つまり"データ追加"シートのセルだ、という意味になっているのです。

　このWith構文でセルの所属シートを一括指定することのメリットは、処理の記述がラクになるだけでなく、「このプロシージャはどのシートをおもに処理するものなのかがわかりやすくなる」というものもあります。上記の処理であれば、"データ追加"シートで処理をおこなうものなのだとわかりやすくなるということです。

【演習】ひととおりプログラムを書いて実行してみましょう

　ではここであらためて、「Excel作業自動化のためのプロシージャを作って、実行する」という一連の流れをまとめてやってみましょう。

❶ サンプルファイル「第2章演習.xls」を開き、Alt＋F11でVBEを起動→標準モジュールを挿入→プロシージャを次の状態まで書く。

```
(General)                              ▼  sample
Option Explicit

Sub sample()
    Application.ScreenUpdating = False
    Dim i
    |
End Sub
```

❷ With構文による"データ追加"シート一括指定の構造を作る。

```
(General)                                          sample
  Option Explicit

  Sub sample()
      Application.ScreenUpdating = False
      Dim i
      With Sheets("データ追加")

      End With
  End Sub
```

　With構文もサンドイッチ構文なので、Withの行を書いたら[Enter]2回→先にEnd Withを入力→[↑]を1回→[Tab]の順で入力を進めます。

❸ For Next構文の繰り返し構造を書く。

cells、rowsの前にピリオド(.)を忘れないようにつけて書いてください。

```
(General)                                          sample
  Option Explicit

  Sub sample()
      Application.ScreenUpdating = False
      Dim i
      With Sheets("データ追加")
          For i = 2 To .Cells(.Rows.Count, 1).End(xlUp).Row

          Next
      End With
  End Sub
```

❹ Left関数を使いながら、F列への入力を実行する次の処理を入力して[Enter]を押す。

```
.cells(i, 6) = left(.cells(i, 1), 4)
```

Cellsの手前にピリオドを忘れないように、またすべて小文字で入力してください。

```
(General)                              ▼  sample
    Option Explicit

Sub sample()
    Application.ScreenUpdating = False
    Dim i
    With Sheets("データ追加")
        For i = 2 To .Cells(.Rows.Count, 1).End(xlUp).Row
            .Cells(i, 6) = Left(.Cells(i, 1), 4)
            |
        Next
    End With
End Sub
```

次の処理はVLookup関数を使いますが、1行が横に長くなるので、途中で改行します。

❺ .cells(i,7)=まで入力したら、「WorksheetFunction」を入力するため、Ctrl + Space →「wo」の2文字を入力すると、2つめにWorksheetFunctionが出てくるので、矢印キーで選択する。

```
(General)                              ▼  sample
    Option Explicit

Sub sample()
    Application.ScreenUpdating = False
    Dim i
    With Sheets("データ追加")
        For i = 2 To .Cells(.Rows.Count, 1).End(xlUp).Row
            .Cells(i, 6) = Left(.Cells(i, 1), 4)
            .cells(i,7)=wo|
        Next            ┌─────────────────────────────┐
    End With            │ Workbooks                   │
End Sub                 │ WorksheetFunction           │
                        │ Worksheets                  │
                        │ xl24HourClock               │
                        │ xl3Arrows                   │
                        │ xl3ArrowsGray               │
                        │ xl3DArea                    │
                        └─────────────────────────────┘
```

❻ [Tab]を押すと、残りの文字がすべて自動で入力される。

```
(General)                                    sample
    Option Explicit

Sub sample()
    Application.ScreenUpdating = False
    Dim i
    With Sheets("データ追加")
        For i = 2 To .Cells(.Rows.Count, 1).End(xlUp).Row
            .Cells(i, 6) = Left(.Cells(i, 1), 4)
            .cells(i,7)=WorksheetFunction|
        Next
    End With
End Sub
```

❼ 続けてピリオド(.)を入力するとワークシート関数入力候補リストが出てくるので、「vl」の2文字を入力するとVLookupが出てくる。

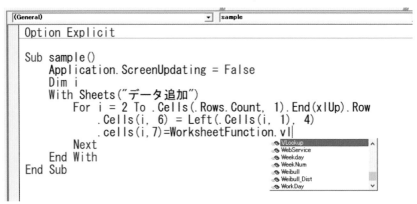

```
(General)                                    sample
    Option Explicit

Sub sample()
    Application.ScreenUpdating = False
    Dim i
    With Sheets("データ追加")
        For i = 2 To .Cells(.Rows.Count, 1).End(xlUp).Row
            .Cells(i, 6) = Left(.Cells(i, 1), 4)
            .cells(i,7)=WorksheetFunction.vl|
        Next                        VLookup
    End With                        WebService
End Sub                             Weekday
                                    WeekNum
                                    Weibull
                                    Weibull_Dist
                                    WorkDay
```

❽ [Tab]を押して確定、最初のカッコを入力したところで改行を入れる。

改行するには、[Space]＋アンダーバー（_）を入力してから[Enter]を押します。

❾ 続けてVLookup関数の4つの引数を入力する。

改行後は [Tab] で行頭をずらすと、あとで読みやすくなります。

```
(General)                                    ▼  sample
Option Explicit

Sub sample()
    Application.ScreenUpdating = False
    Dim i
    With Sheets("データ追加")
        For i = 2 To .Cells(.Rows.Count, 1).End(xlUp).Row
            .Cells(i, 6) = Left(.Cells(i, 1), 4)
            .Cells(i, 7) = WorksheetFunction.VLookup(_
                .Cells(i, 2), Sheets("マスタ").Range("A:B"), 2, 0)

        Next
    End With
End Sub
```

スペース+アンダーバー
で改行できる

あとは最後の処理、E列の数字が50万以上ならA、そうでなければBをH列に入れるIfThen構文を入力します。

❿ Ifの行を入力する。

くどいようですが、すべて小文字で入力してください。

```
(General)                                    ▼  sample
Option Explicit

Sub sample()
    Application.ScreenUpdating = False
    Dim i
    With Sheets("データ追加")
        For i = 2 To .Cells(.Rows.Count, 1).End(xlUp).Row
            .Cells(i, 6) = Left(.Cells(i, 1), 4)
            .Cells(i, 7) = WorksheetFunction.VLookup(_
                .Cells(i, 2), Sheets("マスタ").Range("A:B"), 2, 0
            if .cells(i,5)>=500000 then
        Next
    End With
End Sub
```

⓫ [Enter]を2回押して先に「end if」と入力し、[↑]を押して[Tab]を押す。

```
(General)                              ▼  sample

  Option Explicit

Sub sample()
    Application.ScreenUpdating = False
    Dim i
    With Sheets("データ追加")
        For i = 2 To .Cells(.Rows.Count, 1).End(xlUp).Row
            .Cells(i, 6) = Left(.Cells(i, 1), 4)
            .Cells(i, 7) = WorksheetFunction.VLookup( _
                .Cells(i, 2), Sheets("マスタ").Range("A:B"), 2,
            If .Cells(i, 5) >= 500000 Then

            End If
        Next
    End With
End Sub
```

⓬ If Then構文の中身を書いて完成させる。

```
(General)                              ▼  sample

  Option Explicit

Sub sample()
    Application.ScreenUpdating = False
    Dim i
    With Sheets("データ追加")
        For i = 2 To .Cells(.Rows.Count, 1).End(xlUp).Row
            .Cells(i, 6) = Left(.Cells(i, 1), 4)
            .Cells(i, 7) = WorksheetFunction.VLookup( _
                .Cells(i, 2), Sheets("マスタ").Range("A:B"), 2, 0
            If .Cells(i, 5) >= 500000 Then
                .Cells(i, 8) = "A"
            Else
                .Cells(i, 8) = "B"
            End If
        Next
    End With
End Sub
```

書き終わったら、F5で実行してみると、以下のようにF列からH列にデータが入力されます。

	A	B	C	D	E	F	G	H
1	販売年月	小売店県名	商品コード	商品名	売上金額	年	支社名	売上判定
2	202401	愛知県	27210786	アサヒ本生	2992920	2024	中部	A
3	202401	愛知県	27220883	のどごし生	136920	2024	中部	B
4	202401	愛知県	27220957	ジョッキ生	997920	2024	中部	A
5	202401	愛知県	27220985	サントリー金麦	56448	2024	中部	B
6	202401	愛知県	27260317	アサヒスーパードライ	40320	2024	中部	B
7	202401	愛知県	27260665	キリン一番絞り	794640	2024	中部	A
8	202401	愛知県	27350171	サッポロ黒ラベル	6670	2024	中部	B
9	202401	愛知県	27350921	キリン淡麗グリーンラベル	17342	2024	中部	B
10	202401	愛媛県	27210786	アサヒ本生	286440	2024	中四国	B
11								

　このプロシージャをファイルに保存しておけば、次回以降また同じ作業が発生しても一瞬で終わらせることができる、強力な自動化ファイルになるということです。しかし現実には、より実践的な自動化ツールを作るノウハウがこの先必要になってきます。第5章でその核心となる「フォルダ構成」について解説しますが、それまでは、個別の処理の書き方についての知識を積み重ねていきましょう。

　この演習を実際にサンプルファイルで練習された場合、保存の必要はないので、そのままファイルは閉じて大丈夫です。

　そして、このファイルを使って、何も見なくてもこの演習で書いたプロシージャが書けるようになるまで、何度もこの入力手順の練習を繰り返してみてください。英語の学習において例文暗記が有効であるように、VBAのプログラミングでもサンプルとなるプロシージャを丸暗記してしまうのは極めて効果的なスキルアップの方法です。

わかりやすくするために
押さえておきたいこと

なぜ、[Tab]で段落をつけるのか
～インデントの重要性を理解する

　次の2つのプロシージャを見比べてみましょう。内容はまったく同じですが……

　こちらはすべて文頭がそろってしまっており、大変読みづらいです。

```
Sub データ追加()
Application.ScreenUpdating = False
Dim i As Long
With Sheets("データ追加")
For i = 2 To .Cells(.Rows.Count, 1).End(xlUp).Row
.Cells(i, 6) = Left(.Cells(i, 1), 4)
.Cells(i, 7) = WorksheetFunction.VLookup( _
.Cells(i, 2), Sheets("マスタ").Range("A:B"), 2, 0)
If .Cells(i, 5) >= 500000 Then
.Cells(i, 8) = "A"
Else
.Cells(i, 8) = "B"
End If
Next
End With
End Sub
```

　一方、こちらはインデント（段落）によって、WithとEnd Withのサンドイッチ構造、ForとNextのサンドイッチ構造、IfとEnd Ifのサンドイッチ構造がわかりやすいですね。

```
Sub データ追加()
    Application.ScreenUpdating = False
    Dim i As Long
    With Sheets("データ追加")
        For i = 2 To .Cells(.Rows.Count, 1).End(xlUp).Row
            .Cells(i, 6) = Left(.Cells(i, 1), 4)
            .Cells(i, 7) = WorksheetFunction.VLookup( _
                .Cells(i, 2), Sheets("マスタ").Range("A:B"), 2, 0)
            If .Cells(i, 5) >= 500000 Then
                .Cells(i, 8) = "A"
            Else
                .Cells(i, 8) = "B"
            End If
        Next
    End With
End Sub
```

文法的なルールではありませんが、プログラムを読みやすくするための
知恵として慣習となったものです。読みづらいプログラムにしていくこと
に何らメリットはありませんから、必ずインデントはつけるようにしてく
ださい。

インデントをつける場所……つまり [Tab] を押すのは、次のポイントです。

プロシージャを作った直後

sub→ [Space] →プロシージャ名→ [Enter] → [Tab]

サンドイッチ構文の始めと終わりの枠を作った直後

【例】For Next構文の場合

Forの行を書く→ [Enter] を2回押す→Nextを書く→ [↑] を押す→ [Tab]

[Space] ＋アンダーバー (_) による改行の後

「そんな昔のことなど覚えていない……」
とならないためのメモの残し方　〜コメント

「あれ、このプロシージャには何をさせてるんだっけ……」

　自分が書いたものでも、あとで読むと、すぐにはその内容を理解するのが難しいことがあります。ましてや他人が書いたコードだと、もっと理解に苦しむこともあります。そのようなことがないように、プロシージャの中にはできるだけ、その処理の内容や意図がわかりやすくなるコメントを書き記すようにしましょう。

　コメントを書く時は、先頭にシングルクオーテーション（'）を書いてから文章を書きます。

　このコメントは、マクロのコードの中で、都合によってなしにしたい部分を無効化する際にも使えます。たとえば、ある行の処理を一時的に外して実行してみたい場合、その部分を消してしまうと、また必要になった時に困ります。そのような時は、その行の先頭にシングルクオーテーションをつけてコメントにしておけば、コードの文字列自体は残して無効化することができます。

```
(General)                                          ▼ データ追加
Option Explicit

Sub データ追加()
'======================================
'  F〜H列の作業列に追加データを入力
'======================================
    Application.ScreenUpdating = False
    Dim i As Long
    With Sheets("データ追加") 'セルのシート一括指定
        For i = 2 To .Cells(.Rows.Count, 1).End(xlUp).Row
            .Cells(i, 6) = Left(.Cells(i, 1), 4) 'F列にA列の左から4文字を抽出
            .Cells(i, 7) = WorksheetFunction.VLookup( _
                .Cells(i, 2), Sheets("マスタ").Range("A:B"), 2, 0) 'G列にVLOOKUP関数で支社名を入力
            If .Cells(i, 5) >= 500000 Then 'H列にE列売上が50万以上の場合はA、未満の場合はBを入力
                .Cells(i, 8) = "A"
            Else
                .Cells(i, 8) = "B"
            End If
        Next
    End With
End Sub
```

また、複数行まとめてコメント化したい時は、対象となる行を選択した状態でVBEツールバーの「コメントブロック」をクリックすると、一括で先頭にシングルクオーテーションを追加してコメント化することができます。

　逆に、コメント状態を解除したい場合は、その隣にある「非コメントブロック」をクリックします。もしこのアイコンが見つからない場合は、VBEの［表示］メニューから［ツールバー］を選択→［編集］をクリックしてください。

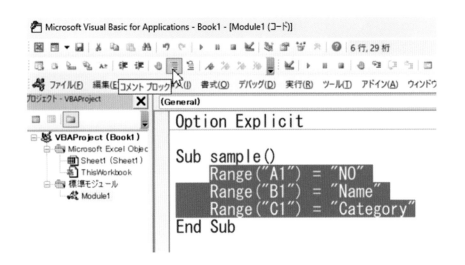

第3章

複雑な問題も、
小さく分解すれば、
1つずつの
シンプルな要素に
すぎなくなる

処理を自動化する知識を身につけるために押さえておきたいこと

セルに対しておこなう処理にはどのようなものがあるか

結局のところ、Excelファイルを使うときに操作するもの、つまりExcelの「操作対象」といえば、セル、シート、ブックです。これらExcelの操作対象のことを「オブジェクト」という総称で呼びます。

では、それぞれのオブジェクトに対して、普段のExcel作業ではどのような処理をしているでしょうか。

セルに対しておこなう代表的な処理といえば、まずは第2章でくわしく解説した値の入力、そして逆にキーボード操作なら Delete を押しておこなう値の消去があります。ほかにも、セルを右クリックして出てくるメニューを見てみると、いろいろできることがわかります。

セルの書式設定、セルや行や列の挿入や削除、オートフィルタ、並べ替え、セルのコピーや貼り付けなどがありますね。貼り付けにも「形式を選択して貼り付け」という処理もありますし、名前の定義やハイパーリンクを設定することもあるわけです。

　シートに対しておこなう処理についても、いずれかのシートのタブを右クリックして出てくるメニューを見てみましょう。

　シートを挿入したり削除したり、名前の変更、シートの移動やコピー、シートを非表示にしたり再表示するなどの処理があります。また、シートのタブの色を変えることもできます。

　ブックに対しておこなう処理には、ブックを開く、閉じる、上書き保存、名前をつけて保存などがありますね。

　また、実際のパソコン作業では、ファイルをコピーしたり名前を変えたり削除したりすることもありますし、フォルダを作ったり削除したりといった作業も発生します。

　このような1つ1つの「処理」は、たいして手間や時間がかかるものではありません。しかし、処理が複数組み合わさった一連の作業に時間がかかって面倒だという際は、1つ1つの処理を正しい順番でおこなわれるように手順書＝プロシージャにまとめてしまえば、以降はExcelのマクロ機能が自動でやってくれるので、それまで長時間かかっていた作業も一瞬で終

えてしまえてラクです。

　本章では、そのようなプロシージャを作るために必要になるセル、シート、ブックに対するさまざまな処理の書き方について、代表的なものを紹介していきます。ここではひとつひとつマスターしていこうとはせず、次のポイントを強く意識して、ひととおり読みとおしてください。

▌処理をきちんと日本語訳して理解する

　「すでにマクロが組んであるファイルを引き継いだ時、その内容がわからなくて困ってる……」

というのがよくある相談です。なので、「まずプロシージャを解読できるようになりましょう」とお話ししています。読めないものは、当然書くこともできないからです。

　プロシージャを解読するには、1つずつ処理内容を日本語に訳すと手っ取り早いです。その際に役立つ2つのポイントを紹介します。

　・ピリオド (.) は「の」と訳す。
　・イコール (=) は「～（左辺）を～（右辺）にする」と訳す。

　たとえば、「Sheets.Add」という処理であれば、そのまま直訳で「シートの追加」と訳します。
　また「Range("A1").Font.Color = vbRed」という処理であれば、日本語訳は「A1セルの字の色を赤にする」といった具合です。

▌「その処理がおこなわれたらExcelはどのように動くか?」をイメージする

　たとえば、「Sheets.Add」という処理が実行されたら、「シートが1枚追加された状態」そして「手作業で追加した時と同じように、そのシートがア

クティブになっている」と、頭の中でその処理によるExcelの動作をイメージできるようになると理解が早くなります。

「Range("A1").Font.Color = vbWhite」という処理が実行されたら、「A1セルの字が白くなる」とイメージできるようになると、理解が早くなります。

そのほか、文法的な専門用語も出てきますが、ここでは「そういう言い方があるのね」ぐらいの感覚で読み進めてください。

見やすい表を作るための
作業をラクにする
～セルの書式設定

　Excelでの資料作成では、表を見やすくするためにセルの字体を変えたり、セルに色や罫線をつけたりといった「セルの書式設定」という機能を使う場面がよくありますね。とても大切な作業ですが、日常的に時間がかかっているとしたら、そんな作業に時間をかけている場合ではありません。資料は一瞬で完成させて、その資料を活用する時間とエネルギーを増やしましょう。

　こうした作業を自動化するにはどんな処理をプロシージャに追加すればいいのか見ていきましょう。

書式設定の6つの種類

　まず、[セルの書式設定] の画面を見て、そもそも書式設定にはどんな種類があるのか見てみましょう。

タブを見てみると、「表示形式」「配置」「フォント」「罫線」「塗りつぶし」「保護」と6つの設定ができることがわかります。それぞれ、さらに細かい設定をできるようになっているわけですね。

　RangeまたはCellsという単語で指定する「セル」に対してこれらの設定をおこなう処理をプロシージャに加えるには、それぞれどのような単語を使えばいいのか、その一部を紹介していきます。

セルに入力されているフォントを太字にする

```
Range("A1").Font.Bold = True
```

【日本語訳】A1 セルの「Font」の「Bold」を「True」にする

　「True」にするというのは、「有効にする」とか「オンにする」といったニュアンスでとらえてください。逆に、「無効にする」「オフにする」には「False」という単語を使います。ちなみに、このTrueとFalseをまとめて「論理値」と呼びます。

　VBAで書く処理の多くは、日本語訳としては「シートの削除」とか「セルを赤く塗りつぶす」というように、「何を、どうする」という文になります。このRange("A1").Font.Bold = Trueという処理であれば、「セルのフォントを、太字にする」といった具合です。

　この場合、操作の対象になるのは「セルのフォント」です。VBAでいえば、Range("A1").Fontです。この部分、つまりこのような操作対象を指定する言葉を「オブジェクト」と呼びます。

　では、Boldという単語は何なのか？　これは、「プロパティ」という種類の単語です。

　いきなり「オブジェクト」とか「プロパティ」といった専門用語が出てきました。このあと、「メソッド」という言葉も出てきます。これらは、VBAに使う単語の種類です。通常の言語でも、「名詞」や「動詞」や「形容詞」、または「目的語」などの文法的な分類があるように、VBAの単語にもこの

ような分類があります。今出てきたものでいえば、「Range」や「Font」は「オブジェクト」という種類の単語、「Bold」は「プロパティ」という種類の単語です。

プロパティとは、ひと言でいえば「何かについての情報の種類」のことです。人間にたとえていえば、1人の人間に関する情報には名前や血液型、生年月日、身長や体重のような、その人についての「情報の種類」がありますよね。Excelでも、たとえばシートの「名前」、セルの「幅」、フォントの「色」や「サイズ」といった「情報の種類」があり、その情報の種類を指定するのが「プロパティ」なのだと、ここではかんたんに理解して読み進めてください。

■ セルのフォントの色を設定する

VBAでは、たとえばA1セルに入力されている文字の色を白にする処理は次のような書き方になります。

```
Range("A1").Font.Color = vbWhite
```

【日本語訳】A1セルの「Font」の「Color」を「白（vbWhite）」にする

この場合は、Range("A1").Fontがオブジェクト、Colorがプロパティになります。

オブジェクトとプロパティがピリオド（.）でつながってますね。ピリオドは「の」、イコール（=）は「〜（左辺）を〜（右辺）にする」と訳すニュアンスが伝わってきましたでしょうか。

■ セルのフォントのサイズを変える

A1セルに入力されている文字の大きさを変える……たとえば14ポイントにする処理をプロシージャに加えるには、次のような処理を書きます。

```
Range("A1").Font.Size = 14
```

【日本語訳】 A1 セルの「Font」の「Size」を「14」にする

　この場合は、Range("A1").Fontがオブジェクト、Sizeがプロパティになります。やはり、オブジェクトとプロパティがピリオド (.) でつながってます。

　このように、ピリオドは「の」、イコールは「～（左辺）を～（右辺）にする」と処理内容をそのまま日本語に訳して理解できると、あとはそれぞれの単語について調べながら理解できるようになっていきます。

セルを塗りつぶす

　A1 セルを赤で塗りつぶす処理をプロシージャに加えるには、次のような処理を書きます。

```
Range("A1").Interior.Color = vbRed
```

【日本語訳】 A1 セルの「Interior」の「Color」を「赤 (vbRed)」にする

　この場合は、Range("A1").Interiorがオブジェクト、Colorがプロパティになります。Color、Sizeなど、プロパティが「情報の種類」であるということが段々理解できてきたでしょうか。

セルに罫線をつける

　A1 セルに実線で罫線をつける処理をプロシージャに加えるには、次のような処理を書きます。

```
Range("A1").Borders.LineStyle = xlContinuous
```

【日本語訳】A1セルの「Borders」の「LineStyle」を「実線 (xlContinuous)」に
する

　この場合は、Range("A1").Bordersがオブジェクト、LineStyleがプロパティ
です。Bordersとは、「セルの境界線」というセルの構成要素の1つを示して
いるわけです。その境界線につける線の種類 (LineStyle) を実線にする、と
いう処理ですね。

処理の文型をおさらいすると

　以上紹介した処理の文型は、オブジェクトとプロパティという言葉を
使って説明すると

オブジェクト.プロパティ = 値

というパターンになっています。この文型を、本書では「値の設定文」とい
います。
　オブジェクトの指定とプロパティをピリオド (.) でつないで、「何を、ど
うする」の、「何を」という部分を指定します。
　一方、イコール (=) の右辺には「値」とありますが、これは「何を、どう
する」の、「どうする」の部分ですね。赤にするなら、vbRedという「値」を
イコールの右辺で指定するということです。
　ちなみに、上記以外の「セルの書式設定」はどうやるんだ……という時
は、まず次章で説明する「マクロの記録」という機能で調べることになり
ます。マクロの記録は、セルの書式設定に限らず、さまざまな処理の書き
方がわからない時に参考になる大事な機能ですが、そのマクロの記録を使
いこなすためにも、まずはこうした処理の意味を解読できるようになって
おく必要があります。

セルを自在に操るには

セルの値を消去する

　セルに値を入力するコードは、たとえばA1セルに100と入力するなら、以下のようになるのでしたね（第2章を参照）。

```
Range("A1") = 100
```

　一方、セルの値を消去する操作、つまり手作業でやるならセルを選択して Delete を押すという処理をプロシージャに加えるには、次のように書きます。

```
Range("A1").ClearContents
```

【日本語訳】 A1セルの値消去（ Delete を押す操作）

　ちょっと文型が変わりましたね。イコール（=）記号がありません。ここに出てきたClearContentsは、オブジェクトでもプロパティでもなく、「メソッド」という種類の単語です。このあと、AddとかDeleteなどが出てきますが、このように動詞が使われる単語がメソッドです。

　このメソッドを使う処理の書き方は、本書では「メソッド文」といい、以下の文型になります。

オブジェクト.メソッド

　この文型でも、ピリオド（.）はやはり「の」と訳すことで理解しやすくな

ります。「Range("A1").ClearContents」なら、「A1 セルの、値を消去」といっ
た具合です。

表へのデータの入力時、既存データが入力されていたら、まずそれを消してから入力する　〜初期化の重要性

　セルの値を消去する命令である、このClearContentsが実際によく使われ
る具体的なケースを見てみましょう。

　決まった形式の表にデータを入力していく作業を自動化する場合、その
表にすでにデータが入っていたら、そのデータはいったん消してから、つ
まり「初期化」してからデータを入力していくように作業手順を設計します。

　たとえば、以下のように「No」〜「判定」までの4項目を2行めからデー
タを入力していく場合。

	A	B	C	D	E	F
A1	▾	× ✓ fx	No.			
1	No.	氏名	得点	判定		
2	1	笠井	73	B		
3	2	中島	79	B		
4	3	松本	95	A		
5	4	宇田	98	A		
6	5	佐藤	71	B		
7	6	中村	80	A		
8	7	辻	93	A		
9	8	大野	91	A		
10	9	高橋	79	B		
11	10	秋田	81	A		
12	11	吉田	72	B		
13	12	鹿島	73	B		
14	13	佐藤	99	A		
15	14	山岡	92	A		
16	15	山本	79	B		
17	16	川又	78	B		
18	17	林	96	A		
19	18	藤川	94	A		
20	19	小河原	73	B		
21	20	福嶋	95	A		

すでに21行めまでデータが入っている場合、いったん消しておかない
と、新規の入力が21行めより手前で終わってしまったときに、それ以降の
行には最初から入っていたデータが残った状態になってしまいます。その
ような問題から、セルにデータを入力する作業は、いったんその入力セル
範囲でデータを消去してから入力するという「初期化」の手順が必要にな
るのです。

この表で2行めから21行めを消去する処理を加えるには、次のように書
きます。

```
Range("A2:D21").ClearContents
```

ただ、このような範囲指定だと、22行め以降にもデータが追加されてい
る状態ではすべて消去することができませんよね。かといって、その都度
プロシージャを修正しなければならないようでは実用的ではありません。
このような場合は、次に紹介するような行数の変化に自動対応できる範囲
指定の書き方を使います。

セルの範囲指定をおこなう方法 ~CurrentRegionとOffsetを使いこなす

まず、どのように書けばどのような範囲が指定されることになるのかを
確認していきましょう。

指定したセルを選択するSelectメソッドによる動作結果を例に解説します。

```
Range("A1:D21").Select
```

この処理が実行されると、以下のように範囲選択されます。

	A	B	C	D	E	F
1	No.	氏名	得点	判定		
2	1	笠井	73	B		
3	2	中島	79	B		
4	3	松本	95	A		
5	4	宇田	98	A		
6	5	佐藤	71	B		
7	6	中村	80	A		
8	7	辻	93	A		
9	8	大野	91	A		
10	9	高橋	79	B		
11	10	秋田	81	A		
12	11	吉田	72	B		
13	12	鹿島	73	B		
14	13	佐藤	99	A		
15	14	山岡	92	A		
16	15	山本	79	B		
17	16	川又	78	B		
18	17	林	96	A		
19	18	藤川	94	A		
20	19	小河原	73	B		
21	20	福嶋	95	A		

しかし先ほども触れたように、この「Range("A1:D21")」という書き方では、きっちりセル範囲A1:D21しか指定できず、融通が利くこともなく、データの行数が変わった際に対応できません。

行数や列数が変わっても選択できるようにする ～ CurrentRegion

そこで、次のような処理を使います。

```
Range("A1").CurrentRegion.Select
```

Range("A1").CurrentRegion……これは、A1セルを選択してショートカット Ctrl + A を押すと選択される範囲を指定します。CurrentRegionはプロパティになりますが、この方法であれば、データの行数はもちろん、列数が増えても、A1セルを選択した状態で Ctrl + A を押すと選択される範囲（これをA1セルの「アクティブセル範囲」といいます）を指定できます。

ただ、この指定方法だと、項目名のセルである1行めも範囲指定に含まれており、この範囲指定のままClearContents、つまりセルの値消去をしてしまうと、本来残しておきたい1行めの項目名のセルまで値が消えてしまいます。

1行めは値消去の範囲指定に含まれないようにする　〜 Offset

　そこで、この範囲指定を1行分だけ下にずらして、1行めは値消去の範囲指定に含まれないように工夫します。そのとき使うのが、Offsetです。

```
Range("A1").CurrentRegion.Offset(1, 0).Select
```

　この処理が実行されると、次のように範囲選択されます。

Offsetもプロパティに分類される単語で、そのあとに続くカッコの中の数字に従って、操作対象となるセルの位置をずらします。カッコの中には、カンマ (,) で区切って数字を2つ書きます。この処理では、Offset(1, 0)となっています。カッコの中の数字は、次のような意味になります。

【書式】
Offset(下にずらす数, 右にずらす数)
※数字をマイナスにすると、上にずらす数、左にずらす数になる

つまり「Range("A1").CurrentRegion.Offset(1, 0)」は、「A1セルのアクティブセル範囲 (CurrentRegion) を下に1つ、右にゼロ個ずらした範囲」ということになり、先ほどの図で選択されている範囲を指定します。すると、

```
Range("A1").CurrentRegion.Offset(1, 0).ClearContents
```

という処理で、次のように1行めの項目名のセルは残して2行め以降のデータだけ消去できるようになります。

	A	B	C	D	E
1	No.	氏名	得点	判定	
2					
3					
4					
5					
6					
7					
8					
9					
10					
11					
12					
13					
14					

表にいろいろ入力していく作業を自動化するプロシージャでは、このような入力前に既存データをいったん消去する「初期化」の手順を加えるという発想が非常に大切です。

セルのコピペ作業を自動化する

　コピペ（コピー＆ペースト）作業の繰り返しに苦しんでいる方は多いですが、ひと口にコピペといってもいろいろあります。ここでは、使用頻度の高いものを紹介します。

最も普通のコピペ　〜書式も含めてすべてコピーするには

　セルのコピーには、Copyというメソッドを使います。たとえば、A1セルの値をA2セルにコピーする場合は、次のような処理になります。

```
Range("A1").Copy Destination:=Range("A2")
```

　メソッド文の応用パターンが出てきました。セルをコピーしたら、普通どこかに貼りつけますよね？　Copyメソッドは貼り付け先もいっしょに指定することができ、それが上記の書き方になります。

　Copyメソッドの後ろに、半角スペースを空けて書かれているDestination（「行先」という意味の英単語です）は、メソッドの「引数」という種類の単語です。わかりやすくいうと、メソッドに関する「質問」だと理解してください。このDestinationの場合、「コピーした後の貼り付け先は？」という質問をしています。そして、その「回答」を、コロンイコール (:=) の後ろに書いています。つまり、「A2セルが貼り付け先だ」と指定しているわけです。

　この文型は、次のような形になっています。

オブジェクト.メソッド 質問:=回答

　この:=を書くべき部分を、普通の=だけ書いてしまうミスが多いので注

意してください。「:=を使うのは、メソッドの引数を指定するときだけ」とも覚えておいてください。

引数を省略した形として、次のような書き方もできます。

```
Range("A1").Copy Range("A2")
```

「形式を選択して貼り付け」をしたい場合

「書式はコピーしたくない」とか、数式の入ってるセルをコピーして値貼り付けして数式をなくすような場合があります。その場合は、「形式を選択して貼り付け」という作業になりますが、そのためにはPasteSpecialメソッドを使います。以下のコードでは、引数Pasteを書き、:=のあとに貼り付けの形式（ここでは、値貼り付けのxlPasteValues）を指定しています。

```
Range("A1").Copy
Range("A2").PasteSpecial Paste:=xlPasteValues
Application.CutCopyMode = False
```

こちらの2行めも、省略形として次のような書き方ができます。

```
Range("A1").Copy
Range("A2").PasteSpecial xlPasteValues
Application.CutCopyMode = False
```

「この書き方もできる」というより、PasteSpecialメソッドを入力して半角スペースを押すと、いきなりこの貼り付けの形式を指定する単語の候補リストが出てくるので、そこでxlPasteValuesを選んで[Tab]を押すと、この省略形のコードになります。

どちらがいいかですが、「動作としてはどちらでも問題ないものの、引数を書いたほうが意味がわかりやすい」という程度の好みの問題です。

3行めの「Application.CutCopyMode = False」は、コピー中のセルを示す線の表示を消す処理です。

セルを削除する

手作業でセルを削除しようとすると、次の確認画面が出てきますよね。

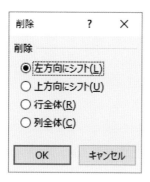

このようにセルを削除する操作の基本をおさえておきましょう。

- 削除するセルの右側にあったセルを左方向に詰める
    →　左方向にシフト
- 削除するセルの下側にあったセルを上方向に詰める
    →　上方向にシフト
- そのセルを含む行全体を削除する　→　行全体
- そのセルを含む列全体を削除する　→　列全体

　セルの削除には、Deleteメソッドを使います。たとえば、A1セルを削除する操作を自動化するには、次のように書きます。

```
Range("A1").Delete
```

　このとき、削除したあとに左方向にシフトするのか上方向にシフトするのかを指定しておかないと、Excelが勝手にシフトする方向を判断してし

まいます。そこで、意図せぬ動作をしないように、引数shiftを使ってシフトする方向を指定します。

・左方向にシフト　→　Range("A1").Delete shift:=xlToLeft
・上方向にシフト　→　Range("A1").Delete shift:=xlUp

また、そのセルを含む行全体、列全体を削除する場合は、それぞれ次の書き方になります。

・行全体　→　Range("A1").EntireRow.Delete
・列全体　→　Range("A1").EntireColumn.Delete

「行全体」という意味のEntireRow、「列全体」という意味のEntireColumnというプロパティを使ってオブジェクトを指定し、Deleteメソッドで削除します。これもピリオドを「の」と読めば、各単語のおおよその意味から処理内容がわかるようになってきます。

データを並べ替える

たとえば以下のようなデータにおいて、D列の判定で昇順、C列で降順という優先順位で並べ替える場合を見てみましょう。

A1	▾	:	×	✓	fx	No.	

	A	B	C	D	E	F
1	No.	氏名	得点	判定		
2	1	笠井	73	B		
3	2	中島	79	B		
4	3	松本	95	A		
5	4	宇田	98	A		
6	5	佐藤	71	B		
7	6	中村	80	A		
8	7	辻	93	A		
9	8	大野	91	A		
10	9	髙橋	79	B		
11	10	秋田	81	A		
12	11	吉田	72	B		
13	12	鹿島	73	B		
14	13	佐藤	99	A		
15	14	山岡	92	A		
16	15	山本	79	B		
17	16	川又	78	B		
18	17	林	96	A		
19	18	藤川	94	A		
20	19	小河原	73	B		
21	20	福嶋	95	A		

　この処理をプロシージャに加えるには、次の処理を書きます（Current Region.は省略可ですが、明確さ重視で、省略せずに書いています）。

```
Range("A1").CurrentRegion.Sort key1:="判定", order1:=xlAscending, _
                              key2:="得点", order2:=xlDescending, Header:=xlYes
```

　並べ替え操作の自動化には、Sortというメソッドを使います。ただ、Sortメソッドだけでは、「どの列を基準に並べ替えをするのか」そして「昇順なのか、降順なのか」がわかりません。

　そのため、ここではkey、order、headerという3つの引数（＝質問）を使います。

key：並べ替えの基準になる列を指定する

　並べ替えの基準になる列を指定する引数は、keyです。指定方法は、「範囲名」かセル指定です。上記で紹介した処理は、範囲名で「判定」や「得点」などのように、並べ替える基準になる範囲の一番上のセルの値、要は項目名を使っています。

　上記の例では、手作業で「並べ替え」機能を使う際のダイアログ画面との対応でわかりやすいようにと考え、項目名を使った書き方を紹介しました。しかしこの書き方だと、プロシージャ内に書いた項目名とシート上の項目名と一致しなかった場合にエラーが起こります。それでは不安定なので、以下のようにkeyの指定にはセル指定を使うことをおすすめします。

```
Range("A1").CurrentRegion.Sort key1:=Range("D1"), order1:=xlAscending, _
                               key2:=Range("C1"), order2:=xlDescending, Header:=xlYes
```

order：昇順か降順かを指定する

　並べ替えの順序を指定する引数は、orderです。order:=（コロンイコール）に続けて、昇順か降順かを以下のように指定します。

- ・昇順　→　xlAscending
- ・降順　→　xlDescending

header：先頭行をデータの見出しとして使用する

　先頭行をデータの見出しとして使用するかどうかを、headerという引数で指定します。header:=（コロンイコール）に続けて、それぞれ以下のように指定します。

- ・見出しとして使う場合　　　→　xlYes
- ・見出しとして使わない場合　→　xlNo

　なお、xlGuessという、その場に応じて判断させる指定もあるにはあるの

ですが、使いません。

　「key1とorder1」「key2とorder2」というように、最優先するキー、次に優先するキーの設定をそれぞれおこなっていきます。key3まで設定できます。それ以上の列が絡む並べ替えの方法は、補足サイトで紹介しています。

■【実務事例】データ処理の定番「不要な行の削除」を
　自動化するには

　「システムからダウンロードしたデータから、まずC列が"対象外"、またF列がゼロになっている行を削除する」

　そんな「データから不要な行を削除する」という処理は、データ加工の定番としてよくおこなわれます。このような処理には、データから特定のデータだけを抽出する作業に便利なオートフィルターを使って抽出→抽出された行を削除、という手順を踏みます。
　オートフィルターの処理をプロシージャに加えるには、Autofilterメソッドを使います。たとえば、以下のデータで、「判定」の列で、値がBのデータだけを抽出する場合を見てみましょう。

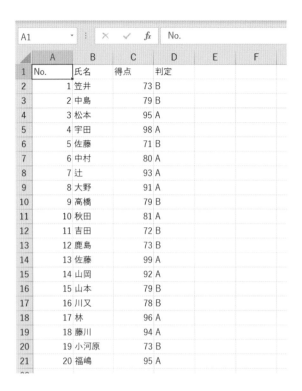

この場合、次のような処理になります（CurrentRegion.は省略可）。

```
Range("A1").CurrentRegion.AutoFilter field:=4, Criteria1:="B"
```

AutoFilterメソッドは、field、Criteria1という2つの引数を使います。それ
ぞれ、「どの列でフィルターするか？」「抽出基準は？」という質問に相当
します。

　引数fieldは、データの何列めでフィルターするかを指定します。この場
合、データの4列め（シートの4列めということではありません）を対象に
するわけですから、:=のあとに4と入力します。

　引数Criteria1は、fieldで指定した列で抽出条件を指定します。今回の場
合、「B」という文字を抽出したいわけなので、"B"と指定しているわけです。

この処理が実行されると、以下のようにオートフィルター機能にて、データの4列めで「B」が抽出された状態になります。

	A	B	C	D	E	F
1	No.	氏名	得点	判定		
2	1	笠井	73	B		
3	2	中島	79	B		
6	5	佐藤	71	B		
10	9	高橋	79	B		
12	11	吉田	72	B		
13	12	鹿島	73	B		
16	15	山本	79	B		
17	16	川又	78	B		
20	19	小河原	73	B		
22						

① このようにオートフィルターで不要なデータを抽出

② 抽出されたセルを削除

③ オートフィルターを解除

この処理を1行ずつ加えてできたのが、次のプロシージャです。

```
Sub オートフィルターして削除()
    Range("A1").CurrentRegion.AutoFilter field:=4, Criteria1:="B"
    Range("A1").CurrentRegion.Offset(1, 0).EntireRow.Delete
    Range("A1").CurrentRegion.AutoFilter
End Sub
```

Range("A1").CurrentRegionが3回同じものが繰り返し出てきてくどいですし、毎回書いたりコピペするのも面倒なので、With構文で次のように書き換えましょう。

```
Sub オートフィルターして削除()
    With Range("A1").CurrentRegion
        .AutoFilter field:=4, Criteria1:="B" ←①
        .Offset(1, 0).EntireRow.Delete ←②
        .AutoFilter ←③
    End With
End Sub
```

① オートフィルターです。データ4列めにてBを抽出します。

② A1セルのアクティブセル範囲をそのまま削除すると、1行めの項目行も削除してしまうことになるので、削除の対象範囲を1行下にずらした範囲のセルを行全体（EntireRow）で削除します。

③ オートフィルターがかかっている状態で、AutoFilterメソッドを引数なしで実行すると、オートフィルターが解除されます。

まずはWith構文のおさらいです。

①の「.AutoFilter field:=4, Criteria1:="B"」の場合、先頭のピリオド（.）の手前に、Withのあとに書かれている「Range("A1").CurrentRegion」が省略されています。つまり、これは以下と同じ処理だと解釈します。

```
Range("A1").CurrentRegion.AutoFilter field:=4, Criteria1:="B"
```

いきなりピリオド（.）から始まるコードや単語があったら、その手前に、Withのあとに書かれているオブジェクトを当てはめて読むのです。

ピリオドは、すべて「の」と読みますが、With構文の中の3行はいずれもいきなりピリオドから始まっています。この場合、

```
.AutoFilter
```

とだけ書かれてあるのを素直に読むと

……のAutoFilter

ということになり、「……の」って何？　ということになりますね。

　しかし、この「の」、つまりピリオドの手前にはRange("A1").Current
Regionが省略されていると解釈することで、

「ああ、これはRange("A1").CurrentRegionのAutoFilter、ということか」

と理解できるようになります。

　②のコードでは、データ1行めの項目行のセルは削除する範囲から外す
ために、Offsetプロパティで対象範囲を1行下にずらした範囲のセルを
Deleteメソッドで削除しています。

　オートフィルタで抽出されたセル範囲を手作業で、つまりシート上でマ
ウスの右クリックメニュー→削除を選択することで削除しようとすると、
次の確認メッセージが出ることがあります。

　②のコードにEntireRowを使わず、

```
.Offset(1, 0).Delete
```

だけの状態だと、このメッセージが出てしまって、［OK］をクリックしな
いと先に進まなくなってしまいます。それを回避するため、あらかじめ行
全体を操作の対象として指定する役割を持つEntireRowという単語を追加
することによって、この確認メッセージが出ないようにする工夫の一例

です。

　以上、セルに対する代表的な処理の書き方を見てきました。もちろん、これら以外にも自動化したい処理があると思いますが、それらの書き方についてはその都度自分で調べられることが大事です。あらかじめ最初からすべてを学ぶ必要もなければ、仕事で忙しい日々の中にはそんな時間もありません。その調べ方についても、このあと紹介していきます。

シートの処理を
自動化するには

シートを追加する処理の書き方

まずは、新規シートを追加する処理の書き方を見てみましょう。

```
Sheets.Add
```
【日本語訳】シートの追加

これも、「オブジェクト.メソッド」の文型です。ピリオド（.）は、やはり「の」と読めます。

Addメソッドを使っていますが、Addとは「追加する」という意味の動詞ですね。

オブジェクトは、「Sheets」というように最後にsがついて複数形になっていることに注意してください。

また、位置を指定してシートを追加することもできます。たとえば、「Sheet1」というシートの直後（右隣）に新しくシートを追加したい場合は、次のような処理を書きます。

```
Sheets.Add after:=Sheets("Sheet1")
```
【日本語訳】"Sheet1"シートの直後にシートを追加する

この処理が実行されると、以下のようにSheet1の直後（after）に新しいシートが追加されます。

これは、次の処理が実行された場合でも同じ結果になります。

```
Sheets.Add before:=Sheets("Sheet2")
```

【日本語訳】"Sheet2"シートの直前にシートを追加する

　シートを追加したい場合、さらに追加する場所も指定したいケースがあ
りますよね。そこで、シートに対するAddメソッドには、「after」や「before」
という引数が用意されているわけです。

追加したシートに名前をつける

　追加されたシートは、手作業でシートを追加した時と同様、「Sheet1」や
「Sheet2」という名前で追加されますが、任意の名前を設定する方法を紹介
します。次の2行の処理は、追加したシートの名前を"data"に設定します。

```
Sheets.Add
ActiveSheet.Name = "data"
```

　「Sheets.Add」でシートが1枚追加されますが、手作業でシートを追加す
る時と同様に、追加されたシートは必ず選択された状態、つまり「アクティ
ブ」な状態になります。そのような「アクティブなシート」を指定するため
のActivesheetというオブジェクトを使って、「その時アクティブなシートの
名前をdataにする」ことができます。

　「ActivesheetオブジェクトのNameプロパティの値をdataに設定する」

という処理だと理解してください。

シートを削除する

シートを削除する処理の書き方も見ておきましょう。

```
Sheets("data").Delete
```

【日本語訳】"data"シートの削除

Sheets("data")というオブジェクトに対して、Deleteメソッドを実行します。
ただ、シートを削除するときは、手作業の場合でも必ず次のアラート画面が出てきて、「削除」を押さないとシートを削除することができません。

複数のシートを削除する処理を自動化する際、マクロを実行すると何度もこの確認画面が出てきて、その都度「削除」をクリックしなければならなくなってしまいます。そこで、シートの削除処理を含むプロシージャを作る際は、次の処理をプロシージャの先頭に書いて、このようなアラートが出ないようにしておくのが定石です。

```
Application.DisplayAlerts = False
```

このコードがプロシージャの先頭にあれば、そのプロシージャの実行中はもうアラートが出なくなります。

「これを書いたら、プロシージャの最後にApplication.DisplayAlerts = Trueを書くべきか？」

という質問が多いのですが、回答としては

　「書いても書かなくても結果は同じ。だから書かなくても問題ないけど、心配だったら書いておいても問題はないですよ」
　「ちなみに僕は書きません、面倒なので」

となります。

シートをコピーする

　シートのコピーについては若干注意が必要です。シートのコピーにはCopyメソッドを使いますが、引数を指定するかしないかで実行結果が変わります。たとえば

```
Sheets("Sheet1").Copy
```

というように、Copyメソッドだけ単独で書いて引数を書かない場合、新規ブックが自動的に作成され、"Sheet1"のコピーはそのブック内に作られます。
　そうではなく、同一ブック内にシートのコピーを作りたい場合は、以下のように、引数beforeかafterでコピーが作成される場所を指定する必要があります。

```
Sheets("Sheet1").Copy after:=Sheets(Sheets.Count)
```
【日本語訳】"Sheet1"のコピーがブックの一番後ろに作られます。

```
Sheets("Sheet1").Copy before:=Sheets(1)
```
【日本語訳】"Sheet1"のコピーがブックの先頭に作られます。

【演習】
入力の練習をしてみよう

　ここからは、サンプルファイル「第3章演習.xls」を使って、入力の練習をしていきましょう。

並べ替えを自動化する

　まずは並べ替えを自動化してみましょう。

❶ サンプルファイルを開き、VBEに標準モジュールを追加し、プロシージャを1つ用意する。

　名前は何でも大丈夫ですが、ここでは「並べ替え」とします。画面更新停止のコードも書きます。（P.55 も参照）

```
(General)                                              ∨  並べ替え

Option Explicit

Sub 並べ替え()
    Application.ScreenUpdating = False

End Sub
```

❷ オブジェクトのセルが「並べ替え」シートのセルであると一括指定できるように With構文を作る。

```
(General)                                          ∨  並べ替え

Option Explicit

Sub 並べ替え()
    Application.ScreenUpdating = False
    With Sheets("並べ替え")

    End With
End Sub
```

❸ range("A1").まで入力すると入力候補リストが出る→soまで入力すると Sortが出てくる。

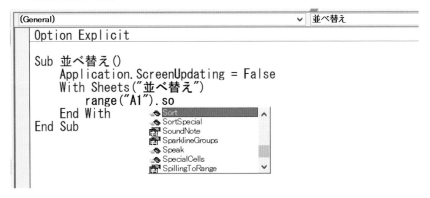

```
(General)                                          ∨  並べ替え

Option Explicit

Sub 並べ替え()
    Application.ScreenUpdating = False
    With Sheets("並べ替え")
        range("A1").so
    End With        ┌──────────────────┐
End Sub             │ Sort             ∧│
                    │ SortSpecial       │
                    │ SoundNote         │
                    │ SparklineGroups   │
                    │ Speak             │
                    │ SpecialCells      │
                    │ SpillingToRange  ∨│
                    └──────────────────┘
```

　このとき、rangeの先頭に先にピリオド (.) をつけてしまうと、range("A1") のあとにピリオドを入力してもこのように入力候補リストが出てこなくなってしまいます。そのため、With構文のための先頭のピリオドは一番最後に入力するようにしてください。

❹ [Tab]を押してSortの入力を確定、さらに[Space]を1回押すと、次の図のように引数のヒントが出てくる。

よく見ると、[Key1]という部分が太字になっています。このように、引数入力のヒントにはなりますが、このヒントにあるすべての引数を指定する必要があるわけではないので、あくまで参考程度に見るようにしてください。

次は、Sortメソッドの詳細設定をおこなう引数で、「最優先するキー」の設定をしていきます。

❺ 引数key1でRange("D1")を指定する。

❻ カンマ（,）で区切って2つめの引数の「order1:=」まで入力すると、以下のように昇順か降順かどちらにするかを選べる選択肢が出てくる。

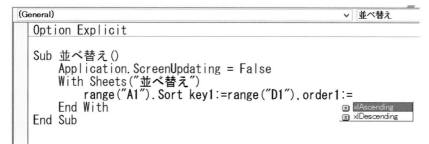

ここでは、最優先するキーでは昇順で並べ替えたいので、昇順を意味する「xlAscending」を選択します。

❼ Tab で確定→カンマを入力→ここで改行するためスペースとアンダーバー (_) を入力する。

```
(General)                                    ∨  並べ替え                                         ∨
Option Explicit

Sub 並べ替え()
    Application.ScreenUpdating = False
    With Sheets("並べ替え")
        range("A1").Sort key1:=range("D1"),order1:=xlAscending, _
    End With          Sort([Key1], [Order1 As XlSortOrder = xlAscending], [Key2], [Type], [Order2 As XlSortOrder = xlAscending], [Key3], [Order3 As XlSortOrder =
End Sub                xlAscending], [Header As XlYesNoGuess = xlNo], [OrderCustom], [MatchCase], [Orientation As XlSortOrientation = xlSortRows], [SortMethod As
                       XlSortMethod = xlPinYin], [DataOption1 As XlSortDataOption = xlSortNormal], [DataOption2 As XlSortDataOption = xlSortNormal], [DataOption3 As
                       XlSortDataOption = xlSortNormal], [SubField1])
```

　この後、Enter を押して改行し、「次に優先されるキー」の設定でkey2から書き始めます。

❽ 上の行のkey1と位置を合わせると読みやすくなるのでそこから入力を始め、図のとおり最後まで入力する。

❾ order2:=と入力すると出てくる候補メンバーで「xlDescending」を選択して Tab 、header:=と入力すると出てくる候補メンバで「xlYes」を選んで Tab を押す。

❿ 最後に、3つあるRangeの先頭にピリオドを追加する。

```
(General)                                    ∨  並べ替え                                         ∨
 Option Explicit

Sub 並べ替え()
    Application.ScreenUpdating = False
    With Sheets("並べ替え")
        .Range("A1").Sort key1:=.Range("D1"), order1:=xlAscending, _
                           key2:=.Range("C1"), order2:=xlDescending, Header:=xlYes
    End With
End Sub
```

　書きあがったら、実行してみてください。以下のように並べ替えが実行されます。

	A	B	C	D	E	F
1	No.	氏名	得点	判定		
2	13	佐藤	99	A		
3	4	宇田	98	A		
4	17	林	96	A		
5	3	松本	95	A		
6	20	福嶋	95	A		
7	18	藤川	94	A		
8	7	辻	93	A		
9	14	山岡	92	A		
10	8	大野	91	A		
11	10	秋田	81	A		
12	6	中村	80	A		
13	2	中島	79	B		
14	9	高橋	79	B		
15	15	山本	79	B		
16	16	川又	78	B		
17	1	笠井	73	B		
18	12	鹿島	73	B		
19	19	小河原	73	B		
20	11	吉田	72	B		
21	5	佐藤	71	B		

　実際にサンプルファイルで練習したら、いったんここでファイルを保存して閉じてください。VBEの保存ボタン、Excelの保存ボタンのどちらでも大丈夫です。後ほど再び開いて使います。

　よくあるのが、key1、key2で指定したセル指定にこのピリオド（.）を付け忘れた状態で、対象となるシート、このプロシージャでいえば「並べ替え」以外のシートが選択されている状態でこのプロシージャを実行し、エラーを起こしている例です。ためしに、key1:=の後に指定した.Range("D1")の先頭のピリオドを消した次のプロシージャの状態で、「並べ替え」以外のシートを選択して実行すると、次のようなエラー画面が出て、プロシージャの実行が止まります。

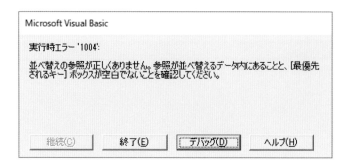

```
(General)                                              ∨  並べ替え
    Option Explicit

Sub 並べ替え()
    Application.ScreenUpdating = False
    With Sheets("並べ替え")
        .Range("A1").Sort key1:=Range("D1")  rder1:=xlAscending, _
                          key2:=.Range("C1"), order2:=xlDescending, Header:=xlYes
    End With
End Sub
```

このRangeの先頭にピリオドを付け忘れた状態で、「並べ替え」シート
以外のシートを選択した状態でこのプロシージャを実行すると……

Microsoft Visual Basic

実行時エラー '1004':

並べ替えの参照が正しくありません。参照が並べ替えるデータ内にあることと、[最優先
されるキー] ボックスが空白でないことを確認してください。

| 継続(C) | 終了(E) | デバッグ(D) | ヘルプ(H) |

　このSortメソッドは「並べ替え」シートのデータに対して実行しようと
しているわけですから、key1の指定に使うセルも当然「並べ替え」シート
のセルでなければなりません。ところが、このkey1で指定している
Range("D1")には先頭にピリオドがついていないので、実行時点のアク
ティブシートのセルを指定していることになってしまっています。これで
は、「並べ替え」シートが選択されている状態でないとエラーになります。

　このように、引数keyに指定するRangeオブジェクトのシート指定を忘れ
ているだけなのに「マクロでは並べ替えはアクティブシートでしかできな
い」という誤った解説を見かけたこともありますが、そんなことはありま
せん。

■ オートフィルターで不要なデータを抽出して削除する

　サンプルファイル「第3章演習.xls」を開いてください。このファイルの
「オートフィルター」シートを使います。

すでにこのファイルで先ほどの「並べ替え」演習で作成したプロシージャ
が含まれている場合は、ファイルを開くとシート上部に次のようなアラー
トが出ます。

| ① セキュリティの警告　マクロが無効にされました。　　コンテンツの有効化 |

　プロシージャを含むブックを開くと、通常これが出てきます。ここで[コ
ンテンツの有効化]をクリックしてください。これをクリックしておかな
いと、このブックではマクロ機能が使えなくなってしまいます。

【問題】

　次のような作業が毎日発生しているので、1クリックで終えられるよう
にプロシージャを作成してみましょう。

① D列にAかBかの判定を入力。C列の得点が80以上ならA、79以下な
　らBを入力する。
② オートフィルターで「判定」の列がBのデータを抽出し、抽出されたセル
　を削除する。
③ オートフィルターを解除し、判定がAのデータだけ残るようにする。

では、さっそくプロシージャを作ってみましょう。

❶ Alt + F11 でVBEを起動する。

　「並べ替え」の演習結果を保存してあれば、すでに標準モジュールに「並
べ替え」プロシージャがある状態なので、その下に新たにプロシージャを
作っていきます。

　このように、標準モジュールには複数のプロシージャをどんどん追加し
て作っていくことができます(標準モジュールがまだない場合は、[挿入]
メニューから追加してください)。

❷ subから始まるプロシージャを1つ作る。

名前は適当に「オートフィルター削除」などにしておきましょう。画面更新停止のコードまで入力を進めてください（P.55を参照）。

```
(General)                                        ✓  オートフィルター削除                          ✓
Option Explicit

Private Sub 並べ替え()
    Application.ScreenUpdating = False
    With Sheets("並べ替え")
        .Range("A1").Sort key1:=.Range("D1"), order1:=xlAscending, _
                          key2:=.Range("C1"), order2:=xlDescending, Header:=xlYes
    End With
End Sub

Sub オートフィルター削除()
    Application.ScreenUpdating = False

End Sub
```

❸ D列にてAかBかの判定入力を繰り返しおこなうFor Next構文に使うカウンター変数iを宣言する。

```
Sub オートフィルター削除()
    Application.ScreenUpdating = False
    Dim i

End Sub
```

❹ 扱うセルは「オートフィルター」シートのセルであると一括指定するWith構文を書く。

❺ Enter を2回押してEnd Withの行を書く→ ↑ → Tab を押す。

```
Sub オートフィルター削除()
    Application.ScreenUpdating = False
    Dim i
    With Sheets("オートフィルター")

    End With
End Sub
```

152

❻ With構文の内側に、D列への入力を繰り返すためのFor Next構文を書く。

　変数iは操作対象セルの行数指定に使うので、2からデータの最終行数までとなります。入力は2行めのセルからスタートするためです。

```
Sub オートフィルター削除()
    Application.ScreenUpdating = False
    Dim i
    With Sheets("オートフィルター")
        For i = 2 To .Cells(.Rows.Count, 1).End(xlUp).Row
            |
        Next
    End With
End Sub
```

❼ C列の値が80以上かどうかで条件分岐をおこなうIf Then構文を書く。

```
Sub オートフィルター削除()
    Application.ScreenUpdating = False
    Dim i
    With Sheets("オートフィルター")
        For i = 2 To .Cells(.Rows.Count, 1).End(xlUp).Row
            If .Cells(i, 3) >= 80 Then
                |
            End If
        Next
    End With
End Sub
```

153

❽ 真の場合の処理、Else、偽の場合の処理を入力する。

この段階でこのプロシージャを実行すれば、D列にAかBの判定結果が
入力されます。

```
Sub オートフィルター削除()
    Application.ScreenUpdating = False
    Dim i
    With Sheets("オートフィルター")
        For i = 2 To .Cells(.Rows.Count, 1).End(xlUp).Row
            If .Cells(i, 3) >= 80 Then
                .Cells(i, 4) = "A"
            Else
                .Cells(i, 4) = "B"|
            End If
        Next
    End With
End Sub
```

❾ Nextの次の行からオートフィルターの処理を入力する。

普通の素直な書き方だと、次の3行を書くことになります。

```
.Range("A1").CurrentRegion.AutoFilter field:=4, Criteria1:="B"
.Range("A1").CurrentRegion.Offset(1, 0).EntireRow.Delete
.Range("A1").CurrentRegion.AutoFilter
```

しかし、P.137でも書いたとおり、同じ「.Range("A1").CurrentRegion」が3回出てくるので、これもWith構文でまとめて指定してしまいましょう。

　そこで、ここでも.Range("A1").CurrentRegionを対象とするWith構文を入力する……のですが、Withのあとに書く「.Range("A1").CurrentRegion」先頭のピリオド（.）はこの段階ではまだ入力しないでおき、最後につけます。

```
Sub オートフィルター削除()
    Application.ScreenUpdating = False
    Dim i
    With Sheets("オートフィルター")
        For i = 2 To .Cells(.Rows.Count, 1).End(xlUp).Row
            If .Cells(i, 3) >= 80 Then
                .Cells(i, 4) = "A"
            Else
                .Cells(i, 4) = "B"
            End If
        Next
        With Range("A1").CurrentRegion

        End With
    End With
End Sub
```

　次は、「.AutoFilter field:=4, Criteria1:="B"」と入力します。

❿ ピリオド (.) を1つ入力すると、入力候補リストが出てくる。

```
Sub オートフィルター削除()
    Application.ScreenUpdating = False
    Dim i
    With Sheets("オートフィルター")
        For i = 2 To .Cells(.Rows.Count, 1).End(xlUp).Row
            If .Cells(i, 3) >= 80 Then
                .Cells(i, 4) = "A"
            Else
                .Cells(i, 4) = "B"
            End If
        Next
        With Range("A1").CurrentRegion
            .
        End    Activate
    End Wit    AddComment
End Sub        AddCommentThreaded
               AddIndent
               Address
               AddressLocal
               AdvancedFilter
```

　Withの後ろに書く「Range("A1").CurrentRegion」の先頭に最初からピリオドをつけるとこの候補メンバーが出て来なくなってしまうので、そこのピリオドはあとからつけようというわけです。

⓫ 同様に、ピリオド(.)を押すと出てくる入力候補リストによる入力支援機能を使いながらオートフィルター、抽出行削除、オートフィルター解除の3行の処理を入力する。

```
Sub オートフィルター削除()
    Application.ScreenUpdating = False
    Dim i
    With Sheets("オートフィルター")
        For i = 2 To .Cells(.Rows.Count, 1).End(xlUp).Row
            If .Cells(i, 3) >= 80 Then
                .Cells(i, 4) = "A"
            Else
                .Cells(i, 4) = "B"
            End If
        Next
        With .Range("A1").CurrentRegion
            .AutoFilter field:=4, Criteria1:="B"
            .Offset(1, 0).EntireRow.Delete
            .AutoFilter
        End With
    End With
End Sub
```

⓬ Withの後ろの「Range("A1").CurrentRegion」の先頭にもピリオドを最後につけて完成させる。

自動化ツールをシート上のボタンクリックで動かせるようにする

作ったプロシージャを登録できるボタンをシート上に設定してみましょう。

❶ Excel画面の[開発]タブ→[挿入]をクリックすると出てくる[フォームコントロール]の一番左上にある[ボタン]をクリックする。

❷ シート上でマウスドラッグでボタンを描画すると[マクロの登録]画面が出てくるので、登録したいマクロを[マクロ名]一覧から選択して[OK]をクリックする。

　この「マクロ名」には、このブックで作られたプロシージャ名の一覧が表示されます。

❸ シートにボタンができる。

	A	B	C	D	E	F	G
1	No.	氏名	得点	判定	ボタン1		
2	1	笠井	73	B			
3	2	中島	79	B			
4	3	松本	95	A			
5	4	宇田	98	A			
6	5	佐藤	71	B			
7	6	中村	80	A			
8	7	辻	93	A			
9	8	大野	91	A			
10	9	髙橋	79	B			
11	10	秋田	81	A			
12	11	吉田	72	B			
13	12	鹿島	73	B			
14	13	佐藤	99	A			
15	14	山岡	92	A			
16	15	山本	79	B			
17	16	川又	78	B			
18	17	林	96	A			
19	18	藤川	94	A			
20	19	小河原	73	B			

❹ ボタンをクリックするとマクロが動き、処理が実行される。

	A	B	C	D	E	F	G
1	No.	氏名	得点	判定	ボタン1		
2	3	松本	95	A			
3	4	宇田	98	A			
4	6	中村	80	A			
5	7	辻	93	A			
6	8	大野	91	A			
7	10	秋田	81	A			
8	13	佐藤	99	A			
9	14	山岡	92	A			
10	17	林	96	A			
11	18	藤川	94	A			
12	20	福嶋	95	A			
13							

「D列にAかBの判定を入力したあと、Bのデータを削除する」という処理が、このボタンワンクリックで終了できるようになったわけです。ボタンに書かれているテキストは、ボタン上で右クリック→［テキストの編集］から変更できます。

　以上、本章ではセルやシートに対しておこなういくつかの操作を例に、それぞれの処理をプロシージャに加える際の書き方を説明してきました。

　どんなに大変で複雑な仕事も、分解すればこのような個別のシンプルな操作が手順どおりにおこなわれているだけだと考えることができます。それらの処理をうまく組み合わせてプロシージャを作成し、普段の作業を自動化するための仕組みを作っていくのが、マクロ機能によるExcel作業の自動化……3日かかった作業も1クリック、1秒で終えるケースもある究極の効率化の技術です。

　また、今後より長く複雑なプロシージャを扱うことになった際にも、1行1行の処理を上から順番に読み解いていくことになります。全体としてみれば高度なプログラムも、その1つずつの構成要素はシンプルな処理です。「難しい問題は小さな要素に分解する」という仕事の基本はプログラミングでも共通するものですし、逆にプログラミング作業からその基本を学ぶことにもなります。

まとめ:処理の文型はたった2つしかない

　VBAでExcelを動かすための「処理」の文型は、本章で紹介した次の2つです。

① 値の設定文

オブジェクト.プロパティ = 値

② メソッド文

オブジェクト.メソッド

または
オブジェクト.メソッド　引数:=値

　つまり、「オブジェクト」、「プロパティ」、「メソッド」、「値」という4つ
の要素を適切に組み合わせながら、上記2つの文型を駆使して一連の処理
を書いていくのがマクロの開発作業、ということになります。

第 4 章

どんな仕事も計画の「実行」と「検証」ができればうまくいく

問題の原因はいつも
似通っている
〜問題解決をスムーズにする着眼点

仕事を成功させるための考え方はプログラミングで学べる

　仕事では、目的を達するために計画を立てます。その計画を遂行する過程で必要な1つ1つの処理を手順書の中に加えてまとめていきます。Excelの自動化というプロジェクトにおいては、これがプロシージャ（手順書）の作成でした。いわゆるプログラミングという作業です。

　そのプログラムされた計画は、実行されていよいよ目的を達成するわけですが、その実行もいきなり一気にはできません。まちがいなく成功するように何度も検証を重ね、途中で失敗しては問題点を取り除く試行錯誤を繰り返し、計画の漏れやまちがいを検証して、徐々に万全な手順書に仕上げていくことになります。

　このように、仕事というのは計画と実行を繰り返し、検証を繰り返して精度を高め、再現性を高めていくものです。前章までは、その「計画」に相当するプロシージャの書き方と読み方を紹介してきました。本章では、プロシージャの「実行」と「検証」に焦点を当てます。

　実行した結果が思ったとおりにならなかったら、指示があいまいではないか、計算漏れや大事な要素の見落としがないかを検証する。
　そこで出てきた問題点を1つ1つ潰して、計画を完成していく。

　Excelの作業自動化ツールの作成も、まさに仕事の基本であるこのプロセスをたどりますが、逆に、この自動化ツールを作成するプログラミング作業を通して、仕事を成功させるのに必要な計画の立て方、具体性がある明確な指示の出し方（コミュニケーション）、試行錯誤を伴う実行方法について非常に多くのことを学べるという効果もあるのです。

まず最初に、プログラミングにおけるミスを防ぐための着眼点をいくつか紹介します。

ピリオドはつなぐもの、カンマは区切るもの

　弊社のVBAセミナー受講者さんが演習中に最も多くしている入力ミスが、ピリオド（.）とカンマ（,）の打ちまちがいです。ピリオドを打つべき場所にカンマを、カンマを打つべき場所にピリオドを打ってしまっているのです。

　ピリオドとカンマについては、「ピリオドはつなぐもの、カンマは区切るもの」と覚えておきましょう。

　次のように、単語をつなぐのがピリオド。

```
Range("A1").Interior.Color = vbRed
```

　次の引数部分のように、単語を区切るのがカンマです。関数のカッコの中で引数を区切るのもカンマですね。

```
Range("A1").Sort key1:=Range("A1"),order1:=xlAscending,Header:=xlYes
```

「始まりと終わり」の枠組みを作ってから中身を入れる

　エラーがよく起きる原因になっている基本的ミスの1つに、For Next構文の「Next」を書き忘れていたり、If Then構文の「End If」を書き忘れているなど、いわゆるサンドイッチ構文の"終わり"の書き忘れがあります。なので、口酸っぱくお伝えするのが、「始まりを書いたら、先に終わりを書いてください」ということです。

```
For i = 2 To 10 ← ①このForの行を書いたら、Enter を2回押して
    Cells(i, 6) = Left(Cells(i, 1), 4) ← ③ForとNextの サン
Next ← ②先にこのNextを書いて                ドイッチ構造を先
                                          に作ってから、こ
                                          の中身の行を書く
```

　この図のコードの場合、Forの行を書いたら次にCells……と次の行を書き始めてしまうのではなく、先に一番下の「Next」を書いてForとNextの枠組みを作ってからその中身を書くという手順を徹底することで、最後の"終わり"の書き忘れを防ぐのです。これが、余計なエラーを起こしてムダな時間をかけないための大切なコツです。

　さらに、その中身の処理は Tab でインデントを付けて書くこともあらためて強調しておきたいと思います（第2章P.108「なぜ、Tab で段落をつけるのか　〜インデントの重要性を理解する」も参照）。

開発中の入力ミスにはこうして気づける

　プロシージャへの処理内容の入力中に、入力ミスがあったらその場で気づけるケースがあります。

入力を確定しても大文字にならない

　第1章でもお伝えしましたが、処理を入力する際は、原則すべて小文字で入力してください。その理由は、入力を確定した際に、文法上のミスやスペルミスがなければ（つまり入力が正しければ）、自動的に各単語の先頭文字が大文字になることで、スペルミスがないことが確認できるからです。

　次のように、すべて小文字で入力します（セル番地の列記号だけは大文字での入力を推奨します）。

```
(General)

  Option Explicit

  Sub sample()
      range("A1")=100|
  End Sub
```

そして Enter を押すと、単語のスペルにまちがいがなければ、以下のように大文字に変わります。また、イコール（＝）記号の前後が自動的に微妙に広がります。

```
(General)

  Option Explicit

  Sub sample()
      Range("A1") = 100
      |
  End Sub
```

この時、もし range というスペルをまちがえて入力していると、Enter を押して入力を確定しても、先頭文字が大文字に変わりません。先頭文字が大文字に変わらない、ということで入力ミスに気づけるわけです。

```
(General)

  Option Explicit

  Sub sample()
      rangw("A1") = 100

  End Sub
```

入力した文字が真っ赤になる

　次のように、処理を1行入力して Enter を押したら真っ赤になってしまった……これも入力ミスのサインです。

```
(General)
   Option Explicit

   Sub sample()
        if range("A1")=100
        |
   End Sub
```

　これは、If Then構文において、条件式のあとにthenを入力してないことによるエラーですね。ifの頭文字も大文字になっていません。

・ Enter で入力を確定しても単語の先頭文字が大文字にならない
・ Enter で入力を確定した処理の文字色が真っ赤になってしまった

　この2つの現象が起きたら、どこかがおかしいということなので、確認する必要があるわけです。多くの場合は、単語のスペルミスや、カンマ（,）とピリオド（.）の打ちまちがいなので、その点に注意しながら修正点を見つけて直していくことになります。

テスト実行は必ず保存してから！　しかし忘れてしまう……　その対策とは

　マクロで実行した処理は、 Ctrl + Z などで行う「元に戻す」機能が使えません。そのため、大事な基本として、 F5 キーなどでプロシージャのテスト実行などをする際は一度保存をしてから実行するクセをつけたいところなのですが、現実問題として忘れてしまいがちです。
　その対策として、プロシージャが問題なく動くと確認できるまでの間の

作業中は、次の処理をプロシージャの先頭に書いておくと、毎回処理が実行される前にいったんそこで保存されます。

```
ThisWorkbook.Save
```

【日本語訳】このブックの保存

　「ThisWorkbookオブジェクトに対して、Saveメソッドを実行する」という処理です。Saveメソッドは、ファイルの上書き保存を実行するメソッドです。この処理でまずファイルを保存しておけば、それ以降の処理で意図しない結果になった場合、一度保存をせずにファイルを閉じて、また開けば、実行前の状態に戻すことができるという工夫です。

問題をあぶり出す技術
〜「試行錯誤」はむやみに やればいいというものではない

　Excel作業を自動化するには面倒な一連の処理をプロシージャに順番に書いていくわけですが、一発で思いどおりにいくことはまずありません（皆無とは言いませんが）。途中でエラーメッセージが出て処理が止まってしまうことがよく起こります。エラーメッセージが出て止まってくれれば、そこで問題があると気づけていいのですが、厄介なのは

　「プロシージャは最後まで止まらず実行されたが、処理結果……できた表の内容などが意図したものと異なっている」

という事態です。

　いずれの際も、プロシージャに書かれた処理の1行ずつ、1文字ずつを精査していくことによって原因を特定し、修正を加えながら、問題なく使えるプロシージャに仕上げていきます。

　このように、プロシージャの完成に至るまでには、書いた処理の実行結果が正しいものかどうかを確かめるために、何度もテスト実行を繰り返すことになります。

実行中にエラーメッセージが出て処理が止まった時の 正しい対処法

　途中でエラーメッセージが出て止まってしまったなどの場合は、エラーの原因を調べ、その原因を取り除く作業に移ります。この作業を「デバッグ」と呼びます。

　エラーメッセージには、[デバッグ]というボタンがあるものとないものがあります。それぞれ、以下のように対処してください。

・［デバッグ］ボタンがある場合　→　［デバッグ］ボタンをクリック

・［デバッグ］ボタンがない場合　→　［OK］をクリック

　すると、いずれかの行に黄色い背景色がついた状態でプロシージャが表示されます。そうしたら、VBEのツールバーにある［リセット］ボタンをクリックし、マクロの動作を停止してから修正を加えていきます。

　以下、それぞれのケースを具体的に見ていきましょう。

アラート画面に［デバッグ］ボタンが出てくるケース

　次のようなシンプルなプロシージャの動作を例に説明します。変数iの宣言で、これまでに出てきてないAs Longとありますが、これは変数に整数だけしか入れられないようにする指定です（くわしくは第10章P.355を参照）。その変数をCellsの行数指定に使っていますが、変数iに何か数字を入れる処理がこのプロシージャには書かれていません。変数iは空っぽ、つまり値がゼロのまま、Cellsの行指定に使われている状態です。

```
(General)
    Option Explicit

Sub sample()
    Dim i As Long
    Cells(i, 1) = 100
End Sub
```

　これを実行すると、次のアラートメッセージが出て、マクロの実行が止まります。

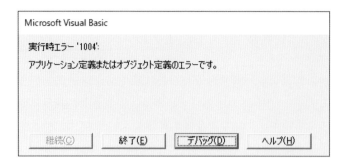

Microsoft Visual Basic

実行時エラー '1004':

アプリケーション定義またはオブジェクト定義のエラーです。

| 継続(C) | 終了(E) | デバッグ(D) | ヘルプ(H) |

「アプリケーション定義またオブジェクト定義のエラーです。」

……じつにわかりづらい日本語ですが、「オブジェクトの指定がなんか
おかしい」と言っていると考えてください。

[デバッグ] ボタンをクリックしてみましょう。すると、以下のように、
問題個所が黄色で強調表示されます。「この部分に問題があるから検証せ
よ」と教えてくれているわけです。

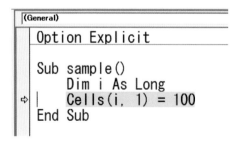

```
(General)

Option Explicit

Sub sample()
    Dim i As Long
⇨   Cells(i, 1) = 100
End Sub
```

ちなみに、このケースでは変数iの値がゼロの状態で、Cells(i,1)に100を
入力する処理を実行しようとしているわけです。つまり、シートのゼロ行
めのセルを処理しようとしているが、シートは1行めから始まるのであっ
て、0行めなんてものはない……これが「オブジェクト定義のエラー」、つ
まり「"0行め、1列めのセル"なんて指定はおかしいよ」と教えてくれてい
るということです。

エラーメッセージ画面で[デバッグ]ではなく[終了]をクリックすれば、

そのままプロシージャの処理は中止されます。

また、次のプロシージャを実行してみましょう。

```
(General)
    Option Explicit

Sub sample()
    Cells(1, 1).Add
End Sub
```

すると、次のエラーメッセージが出ます。

```
Microsoft Visual Basic

実行時エラー '438':

オブジェクトは、このプロパティまたはメソッドをサポートしていません。

    継続(C)        終了(E)      デバッグ(D)      ヘルプ(H)
```

オブジェクト、プロパティ、メソッドという言葉については解説してきましたが、それでもこのメッセージも一読して直感的に意味が理解できるものではありません。しかし、要は「CellsにAddメソッドは使えないよ」と言っているわけです。

たとえば、セルに値を入力する、つまりセルの値を設定する処理は、プロパティを略さずに書くと以下のようになります。

```
Range("A1").Value = 100
```

一方、現在選択中のシートの名前を「data」にする処理は、以下のように

書きます。

```
Activesheet.Name = "data"
```

しかし、以下のように書いてしまうと、エラーになって実行できません。文法的にまちがっているからです。

```
Activesheet.Value = "data"
```

ActivesheetのあとにValueプロパティをつなげて使うことはできないわけです。これが、「オブジェクトは、このプロパティまたはメソッドをサポートしていません。」というエラーメッセージが伝えようとしていることです。

アラート画面に [デバック] ボタンが出ない場合

では、次のプロシージャを実行するとどうなるでしょうか。

```
(General)
    Option Explicit

Sub sample()
    Dim i As Long
    For i = 1 To 10
        Cells(j, 1) = i
    Next
End Sub
```

今度は、以下のように「変数が定義されていません。」というエラーメッセージが出て、処理が止まります。

　このように［デバック］ボタンがない場合は、［OK］ボタンをクリックしてください。すると、以下のようにSubの行でプロシージャの動作がストップした状態でVBEの画面が表示されます。さらに、このエラーはDimで宣言していない変数を使っていることによるエラーなのですが、その宣言されていない変数「j」が選択された状態になっています。

```
(General)

Option Explicit

⇨ Sub sample()
    Dim i As Long
    For i = 1 To 10
        Cells(j, 1) = i
    Next
End Sub
```

　この機能のおかげで、「本来は変数iを入力すべき部分に、jと入力してしまっている」という問題個所を瞬時に特定できるようになっています。
　あとでまたくわしく解説しますが、これが標準モジュールの先頭に「Option Explicit」という1行が書かれていなければならない最大の理由です。このケースは非常にシンプルな例を使って説明していますが、実務に使うもっと複雑なプロシージャではこの原因の調査でつまづくことによる

時間のロスは非常に大きく、また苦痛を伴う作業となります。そうしたことにならないように、標準モジュールの先頭に「Option Explicit」の1行があることが必須なのです。

ある時点までは一気に実行、それ以降は1つずつ処理結果を確認する

　第3章の演習で紹介したデータ処理の事例を使って、効率的な動作確認のためにぜひ知っておきたい方法を紹介します。

	A	B	C	D	E
1	No.	氏名	得点	判定	
2	1	笠井	73		
3	2	中島	79		
4	3	松本	95		
5	4	宇田	98		
6	5	佐藤	71		
7	6	中村	80		
8	7	辻	93		
9	8	大野	91		
10	9	髙橋	79		
11	10	秋田	81		
12	11	吉田	72		
13	12	鹿島	73		
14	13	佐藤	99		
15	14	山岡	92		
16	15	山本	79		
17	16	川又	78		
18	17	林	96		
19	18	藤川	94		
20	19	小河原	73		
21	20	福嶋	95		

第3章の演習と同様に、次の処理を自動化するプロシージャを作成するとします。

・D列の2行前から最終行までに、C列の数字が80以上ならA、そうでなければBを入力する
・D列のデータがBの場合、削除する

(General)	∨	オートフィルター削除

```
Option Explicit

Sub オートフィルター削除()
    Application.ScreenUpdating = False
    Dim i As Long
    With Sheets("オートフィルター")
        For i = 2 To .Cells(.Rows.Count, 1).End(xlUp).Row
            If .Cells(i, 3) >= 80 Then
                .Cells(i, 4) = "A"
            Else
                .Cells(i, 4) = "B"
            End If
        Next
        With .Range("A1").CurrentRegion
            .AutoFilter field:=4, Criteria1:="B"
            .Offset(1, 0).EntireRow.Delete
            .AutoFilter
        End With
    End With
End Sub
```

　C列の値が80以上ならD列にA、そうでなければBを入力する処理を、データの2行めから最終行まで繰り返しています。そして、D列が"B"の行をオートフィルタで抽出して削除、という一連の処理をおこなうプロシージャになっています。

　このプロシージャを書きあげ、さあテスト実行しようという時、いきなり F5 で全部一気に実行してしまうのではなく、F8 によるステップイン実行で1行ずつ処理内容を確認しながら見ていくように心がけていただきたいのです。

……なのですが、For Next構文による反復処理の部分は、延々AかBがセルに入力される処理が繰り返されるわけですから、データの最初の数行への入力が確認できれば、それを最終行まで繰り返す必要はありません。このデータが数十行以上になってくると、それだけでけっこうな時間がかかってしまいます。

ブレークポイントを活用する

このような時に役に立つのが、「ブレークポイント」という機能です。[F5]では普通はプロシージャの内容をすべて一気に実行してしまいますが、プロシージャの中にブレークポイントを設定しておくと、そこでいったん処理の実行を止めることができます。

VBEにて、処理を一時停止させたい行に合わせてコードウィンドウの左端にあるグレーの部分をクリックするか、一時停止させたい行の任意の場所をクリックしてから[F9]を押すと、以下のような状態になります。これがブレークポイントです。

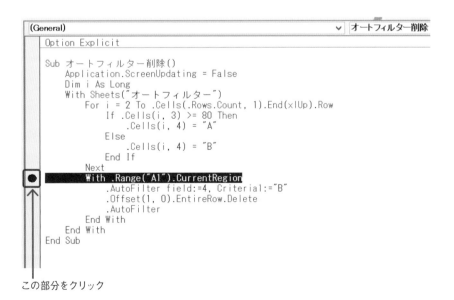

```
(General)                                              ✓ オートフィルター削除
    Option Explicit

Sub オートフィルター削除()
    Application.ScreenUpdating = False
    Dim i As Long
    With Sheets("オートフィルター")
        For i = 2 To .Cells(.Rows.Count, 1).End(xlUp).Row
            If .Cells(i, 3) >= 80 Then
                .Cells(i, 4) = "A"
            Else
                .Cells(i, 4) = "B"
            End If
        Next
        With .Range("A1").CurrentRegion
            .AutoFilter field:=4, Criteria1:="B"
            .Offset(1, 0).EntireRow.Delete
            .AutoFilter
        End With
    End With
End Sub
```

この部分をクリック

この状態で[F5]で実行すると、このブレークポイントの行で処理がいったん止まります。

```
(General)                                              ▼  オートフィルター削除
  Option Explicit

Sub オートフィルター削除()
    Application.ScreenUpdating = False
    Dim i As Long
    With Sheets("オートフィルター")
        For i = 2 To .Cells(.Rows.Count, 1).End(xlUp).Row
            If .Cells(i, 3) >= 80 Then
                .Cells(i, 4) = "A"
            Else
                .Cells(i, 4) = "B"
            End If
        Next
        With .Range("A1").CurrentRegion
            .AutoFilter field:=4, Criteria1:="B"
            .Offset(1, 0).EntireRow.Delete
            .AutoFilter
        End With
    End With
End Sub
```

　ここまでは一気に処理を済ませ、ここから[F8]で1行ずつ実行して動作を確かめることができます。

Stopステートメントを利用する

　これと同じことが、Stopステートメントという処理でもできます。使い方はかんたんで、プロシージャの中で処理をいったん止めたいところに「Stop」とひと言書いておくだけです。これがあると、次のようにそこで処理が止まります。

```
Option Explicit

Sub オートフィルター削除()
    Application.ScreenUpdating = False
    Dim i As Long
    With Sheets("オートフィルター")
        For i = 2 To .Cells(.Rows.Count, 1).End(xlUp).Row
            If .Cells(i, 3) >= 80 Then
                .Cells(i, 4) = "A"
            Else
                .Cells(i, 4) = "B"
            End If
        Next
        Stop
        With .Range("A1").CurrentRegion
            .AutoFilter field:=4, Criterial:="B"
            .Offset(1, 0).EntireRow.Delete
            .AutoFilter
        End With
    End With
End Sub
```

　For Next構文での処理において、たとえば「120行めの処理のところで
いったん止めたい」といったことはブレークポイントではできませんが、

```
If i = 120 Then Stop
```

という1行をFor Next構文の中に書いておくと、変数iが120になったとき
に、この行で実行を一時停止できます。

180

無用な手間をなくす大切な
リスクヘッジ
〜変数宣言の必要性を理解する

　第1章で、VBEの設定にて「変数の宣言を強制する」にチェックを入れる設定をしていただきました（P.45を参照）。その理由は、「変数の入力ミスが原因のエラーが発生した時、問題箇所をすぐに見つけられて、余計な苦労をせずに済むから」です。そのメリットを、以下の事例であらためて見ていきましょう。

```
Option Explicit

Sub ファイル名一覧表作成()
    Application.ScreenUpdating = False
    Dim i As Long
    Dim bookname As String
    bookname = Dir(ThisWorkbook.Path & "¥画像フォルダ¥*")
    i = 2
    Do While bookname <> ""
        Cells(i, 1) = bookname
        bookname = Dir()
        i = i + 1
    Loop
End Sub
```

変数の名前は意味がわかりやすいものにする

　プロシージャの4行めで、booknameという変数が宣言されていますね。「As String」というのは「文字列型」という変数の型の指定です（変数の型については、P.355を参照）。このプロシージャは、第6章で紹介する、あるフォルダの中にあるファイル名の一覧表を作る処理をおこなうものなのですが、その処理の中で、ブック名を入れるための変数としてbooknameという変数を使っています。意味がわかりやすいように、booknameという変数名にしたわけです。

　このように、変数の名前を意味のわかりやすいものにすることで、プロ

シージャの内容が解読しやすくなります。プロシージャは「手順書」という文章ですから、通常のメールや文書と同じように読みやすく、理解しやすくあるべきです。そうすることで、結果として後々のメンテナンスや修正時にわかりやすく、助かることになるのです。そのプロシージャを読む後任者のため、ひいては自分のためでもあります。

わざわざ宣言しなくても変数が使えてしまうことで起きる問題とは

　このプロシージャ、じつは1ケ所入力ミスがあります。それがどこだか、すぐに見つけることができるでしょうか？

　それは、このプロシージャを実行するとすぐに見つかります。実行すると「変数が定義されていません。」というアラートが表示され、その表示のOKボタンをクリックすると、次のような状態になります。

```
Option Explicit

⇨ Sub ファイル名一覧表作成()
      Application.ScreenUpdating = False
      Dim i As Long
      Dim bookname As String
      bookname = Dir(ThisWorkbook.Path & "¥画像フォルダ¥*")
      i = 2
      Do While bookname <> ""
          Cells(i, 1) = booknama    ←── Dimで宣言してしていない変数
          bookname = Dir()                が選択された状態でプロシー
          i = i + 1                         ジャの実行が止まる
      Loop
End Sub
```

　これは、8行めの変数が「bookname」ではなく「booknama」と入力ミスをしてしまっていることが原因で起きたエラーです。「この変数、Dimで宣言されてないよ」と教えてくれたわけです。変数の宣言が強制されている……つまり標準モジュールの先頭にOption Explicitと入力されていれば、入力ミスのある変数、言い換えれば「変数の宣言が強制されているのに、Dimで宣言されていない変数」がこのように瞬時にわかるようになるわけ

です。

　標準モジュールの先頭にOption Explicitがないと、booknameという変数もbooknamaという変数も、わざわざDimで宣言しなくても使えてしまいます。ということは、標準モジュールの先頭にOption Explicitがなければ、そもそもDimで変数の宣言をする意味もないということです。一見、手間が少なくていいと思うかもしれませんが、その場合は、このように変数の入力ミスがあっても、そこで止まることなくマクロが動いてしまいます。しかし、その結果は意図したものとは異なります。

　なぜ、意図したとおりにならないのか。その原因を究明するには、細かくプロシージャの中身を読み込んで、「booknama」という変数の入力ミスを自力で見つけなければいけません。これは、プロシージャが長く複雑になってくると非常に時間のかかる大変な作業です。これが変数の宣言を強制する、つまり標準モジュールの先頭にOption Explicitが書かれていなければならない最大の理由なのです。

▌入力ミスをしてしまっても、即座に特定できれば問題ない

　「変数名なんて、aとかbとか適当な文字を使えばいい。そうすれば、そんな1文字の変数にスペルミスなど起きるわけないじゃないか」

　そんな意見も聞いてきました。しかし、それでは各変数が何を意味するものなのかがわからず、プロシージャの処理内容が解読しづらくなります。

　たしかに、意味のわかる変数名となると、何文字かを要することになり、誤入力の可能性がありえます。しかし、誤入力がもしあっても、即座にそれを特定できるようにするため、変数の宣言を強制しておくのです。

　変数名については、以下3点だけ意識すれば、通常問題ありません。

・記号はアンダーバー（_）のみ使用可、スペースは不可
・1文字めに数字とアンダーバーは使えない

・1つのプロシージャの中で、同じ変数2つは宣言できない

プロシージャ名のルールと同じですね。

わからないことの調べ方
〜マクロの記録を使いこなす

マクロの記録に対する大いなる誤解

　セルやシートに対するさまざまな処理は、どのようなオブジェクトやプロパティ、メソッドを使えばいいかがわからないと書けません。しかし、オブジェクトもプロパティもメソッドも無数にあるので、すべてを覚えることは難しい……というか不可能です。また、そんな努力をする必要もありません。

　ではどうするかというと、オブジェクトやプロパティ、メソッドに何を使えばいいのかを自分で調べることになります。その際に使っていくことになるのが、マクロの記録機能です。

　弊社のVBAセミナーに参加された方からよく聞くのが、「マクロは今まで記録で作るぐらいしか使ったことはありませんでした」というお話です。ここで、大きな誤解をなさっています。

　マクロの記録は、マクロ（プロシージャ）を作るためのものではありません。書きたい処理に必要な文型は「値の設定文」なのか「メソッド文」なのか。そしてそれに必要なオブジェクト、プロパティ、メソッド値の4つについて、わからないことをExcelに教えてもらうための機能なのです。

マクロの記録から書き方を理解する

　たとえば、「セルの書式設定で、セルを赤で塗りつぶす処理を書きたいが、どのように書けばいいかわからない」という時。本書第3章P.121を復習していただければ、Rangeオブジェクトの、Interiorオブジェクトの、Colorプロパティの値を赤に設定するという書き方だとわかります。

```
Range("A1").Interior.Color =
```

ここまでは書けても、「赤」の書き方がわからない、またはほかの色がわからない……という時、まずは「マクロの記録」をやって調べてみるのです。手順は以下のとおりです。

❶ ［開発］タブ（リボンにない場合はP.42の設定を参照）の［マクロの記録］をクリックする。

❷ ［OK］をクリックすると、これ以降の操作が1つずつ標準モジュールに自動記録されていく。

❸ セルの書式設定で適当なセルを赤で塗りつぶす。

❹ [開発]タブの[記録終了]をクリックする。

　記録をすると、自動で標準モジュールが1つ作られます。その中を見てみると、次のようなプロシージャができています。

```
Option Explicit

Sub Macro1()
'
' Macro1 Macro
'
'
    Range("B2").Select
    With Selection.Interior
        .Pattern = xlSolid
        .PatternColorIndex = xlAutomatic
        .Color = 255
        .TintAndShade = 0
        .PatternTintAndShade = 0
    End With
End Sub
```

　Selectionというのは「選択中のセル」を意味します。そのInteriorオブジェクトについてのさまざまなプロパティがWith構文の内側に書かれていますが、ここから読み取るのは、「色を赤にするには、Colorプロパティの値を255にすればいいんだ」ということです。これで、次のようにセルを赤で塗りつぶす処理が書けます。

```
Range("A1").Interior.Color = 255
```

　この手順で、たとえばシートを追加する操作を記録すると「Sheets.Add」

という処理が記録されます。

　このように、1つ1つの処理の書き方がわからないときは、まずは記録をしてみるのが基本になります。

面倒な
ルーティンワークを
自動化するための
具体的プロセス

「その都度入手するブックに対して毎回同じ処理をおこなう」場合の考え方

「ファイルを開いては閉じ、開いては閉じの繰り返し……あと何個ファイルがあるんだ……」

「社員全員分の勤怠入力ファイルの作成で小1時間かかるし、まちがえるし、もうイヤ……」

「Excelで請求書を何枚もつくる単純作業、絶対マクロで済むと思うんですけど、どうすれば……」

本書の第1章で紹介した、弊社クライアント企業で対応してきた実際の苦しみの声です。ではいよいよ、「この面倒なExcel作業をどうにか効率化したい！」というとき、「その作業はこうして自動化する！」というプロセスを把握していきましょう。そのために、実際の事例を参考に、具体的にどのように考え、どのような手順で自動化ツールを作成し、そして日々使っていくのかを具体的に見ていきましょう。

カギとなるのは「別のブックを開く」という処理

ここまで紹介してきたプロシージャは、すべて1つのブックの中で処理が完結していました。つまり、処理するデータと、処理を実行するプロシージャが同じブックの中にあったということです。しかし現実には、定期的に他人から受け取るブックや、ダウンロードするブックなどを処理することが多いわけです。

そのように定期的に発生する「その都度入手するブックに対して毎回同じ処理をおこなう」といったルーティン作業において、それらのブックをその処理のたびに開き、標準モジュールを挿入し、その処理を自動化するプロシージャを書いて実行する、というのは実用的なマクロの活用方法ではありません。

しかも、複数のブックを処理することもありますよね。ブックの数が増えてくると、とてもそんなことはやってられません。

　この問題を解決するために、次のようなプロセスの考え方が必要になります。

① 定型業務を自動化するためのプロシージャが保存されている「マクロ実行ブック」を用意する。
② その「マクロ実行ブック」によって、処理したいブックを開いて処理する。

　この「マクロ実行ブック」に作成するプロシージャに必要になるのが、「別のブックを開く」という処理です。前章まででセルとシートに対する処理はおもなものを紹介してきましたが、本章からはブックを開く、または閉じる処理の書き方についても覚えていきましょう。

▌まずは基本から　～既存ブックを開く処理の基本構文

　次の状況で説明します。

　デスクトップに「データ追加作業フォルダ」というフォルダがあります。

　その中に「実行ブック.xlsm」と「操作対象ブックフォルダ」があります。

その「操作対象ブックフォルダ」の中に、「202604061121.xls」というブックがあります。

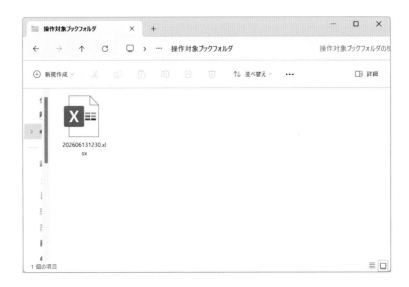

この「操作対象ブックフォルダ」の中の「202604061121.xls」を開いて処

理するプロシージャを、「実行ブック.xlsm」の標準モジュールに作成して
いきます。

　まず、ブックを開く処理の書き方の基本構文を押さえましょう。

Workbooks.Open Filename:=開きたいブックの保存場所¥開きたいブックの名前

　ブックを開く処理には、Workbooks.Openというメソッド文を使います。
引数Filenameのあとにコロンイコール（:=）をはさんで、開きたいブックの
保存場所と、開きたいブックの名前を¥マークでつないだ文字列（この文
字列をフルパスといいます）を書きます。「データ追加作業フォルダ」が筆
者が使用しているパソコンのデスクトップにある状態の場合だと、次のよ
うな書き方になります。

```
Workbooks.Open Filename:= _
    "C:¥Users¥sugoikaizen¥Desktop¥データ追加作業フォルダ¥操作対象ブックフォルダ¥202606131230.xls"
```

　この例の場合、「C:¥Users¥sugoikaizen¥Desktop¥データ追加作業フォル
ダ¥操作対象ブックフォルダ」の部分が「開きたいブックの保存場所」にあ
たります。

　そして、開きたいブックの名前は「202604061112.xls」です。

　この2つを¥マークでつないだ文字列、つまり

```
"C:¥Users¥sugoikaizen¥Desktop¥データ追加作業フォルダ¥操作対象ブック
フォルダ¥202604061121.xls"
```

という文字列が、引数Filenameのあとに書いてあるわけです。文字列なの
で、ダブルクオーテーション（"）で囲んであります。そして、このように
「保存場所とファイル名を示す文字列」を「フルパス」とここでは呼びます。

　このフルパスはややこしく見えますが、記号の訳し方さえ押さえればと

てもわかりやすいものです。

: (コロン) → 「ドライブ」と読みます。
￥ → 「～の中の」と読みます。

これをそのまま当てはめて読んでいくと、ここで出てきたフルパスは次のように訳せます。

【Cドライブの中の、Usersの中の、sugoikaizenの中の、Desktopの中の、「データ追加作業フォルダ」の中の、「操作対象ブックフォルダ」の中の、202604061121.xls】

Workbooks.Openのあとに指定した、このブックを開けと言ってるわけです。

「Cドライブって何？」とわからなくても実務で困ることはあまりありませんが、あくまでも参考までに解説しておくと、パソコンの中にあるハードディスクの名前の1つだということです。複数あれば、Dドライブといった名前になることもあります。

その「C:」の中に「Users」というフォルダがあり、その中に「sugoikaizen」というフォルダがあり、その中に「Desktop」というフォルダがあり（デスクトップも1つのフォルダといえます）、その中に「データ追加作業フォルダ」というフォルダがあり、その中に「操作対象ブックフォルダ」というフォルダがあり、その中にある202604061121.xlsというブックを指定する文字列だということです。要は、いずれかのブックを開くには、そのブックの名前だけでなく、そのブックの保存場所も合わせたフルパスをWorkbooks.Openのあとに書かなければならないという基本をここでは理解してください。

各ブックの保存場所は、ブックのアイコンを右クリックして出てくるメニューから「プロパティ」を選択して出てくる画面の「場所」で確認できます。

　これがまず「文法的には正しい」、既存ブックを開く処理の書き方ということになります。

　しかし、じつは、これでは使い物になりません。ですが、まずは基本の文法を理解していただかないとこの先に進めないので、あえて紹介しました。このあと、使い物になるようにこれをアレンジしていきます。

■「そんなやり方じゃ実務では使いものにならない」理由

　なぜ、先ほどの書き方は実用的ではないのでしょうか？

　それは、この書き方では「データ追加作業フォルダ」の保存場所が「C:¥Users¥sugoikaizen¥Desktop」である場合しか使えなくなってしまうからです。「sugoikaizen」のように、パソコンによって変わってしまうフォルダの名前が含まれているので、このような保存場所を固定的に指定する方法だとこの「データ追加作業フォルダ」が特定のパソコンの常に同じ場所に置いてある状況でないと使えなくなってしまいます。

　せっかく作った自動化ツールは、Excelさえ入っていればどのパソコン上でも動くようにしておかないと困ります。パソコンの機種変更や他人にその自動化ツール一式を渡して使ってもらう場合に対応できなくなるからです。

　また、もっと大事な問題として、開きたいブックの名前が毎回同じであることは少ないのが実務の現実です。

　実際にWebやシステムからダウンロードするCSVなどのファイルは、多くの場合、その名称が「202604061121.xls」などのように、日時などの情報を含むため、常に変わるケースが多いのです。そうした現場では、このような固定的な保存場所やブック名の指定では融通が利かず、使い物にならないのです。

■ 自動化ツール一式をまとめるフォルダ構成を整える

　では、どうするか。まず、Excel作業の自動化ツール一式は、1つのフォルダにまとめて使っていくのが基本です。その中に、いわゆる「マクロ実行ブック」……つまり、標準モジュールを挿入し、そこに一連の処理を自動化するためのプロシージャを作って保存しておくためのブックをまず作ります。

　そして、開かれて処理されるブックと、その「マクロ実行ブック」が常に同じ位置関係になるようにフォルダ構成を工夫します。

ですから、通常Excelのマクロでルーティン作業を自動化するツールを作ろうという際は、まず真っ先に、デスクトップにフォルダを1つ作ることから始まる次の手順を踏みます。

❶ デスクトップにフォルダを1つ作る。

　デスクトップで右クリック→右クリックメニューから「フォルダー」を選択します。フォルダ名は任意のもので大丈夫です。あとから変更しても問題ありません。一連の処理に必要なすべてのブックやフォルダ一式をこの中に入れて、デスクトップ以外の場所やほかのパソコンに移しても使えるように工夫します（例：P.192の「データ追加作業フォルダ」）。

❷ そのフォルダの中で、マクロを実行するExcelブックを1つ作る。

　フォルダの中で右クリック→右クリックメニューから「Microsoft Excelワークシート」を選択します。このブックも任意の名前をつけてください。あとから変更しても問題ありません。ただし、ファイル形式が「マクロ有効ブック(.xlsm)」である必要があります（例：P.192の1つめの図の「実行ブック.xlsm」）。

❸ さらにそのフォルダの中で、開かれて処理されるブックを入れるためのフォルダを作成する。

　このフォルダの名前は任意のものでかまいませんが、プログラムに影響するため、このフォルダの名前は変更不可になります。ここでは「操作対象ブックフォルダ」という名前にしておきます（例：P.192の1つめの図の「操作対象ブックフォルダ」）。

　このようなフォルダ構成をまず基本として整えます。

固定的な保存場所名を使わず、その都度「取得」する書き方

　この構成のもと、「実行ブック」の標準モジュールに作成するプロシー

ジャにより、「操作対象ブックフォルダ」の中にあるブックを開く処理を考えてみましょう。

　まず、開くブックのフルパスですが、先ほどのようにUsersとかsugoikaizenといった固定的なフォルダ名を使わず、「このブック（実行ブック.xlsm）の保存場所を表す文字列」をその都度取得する書き方があります。「ThisWorkbook.Path」という書き方です。これを使うことで、この「データ追加作業フォルダ」がどこに保存してあっても問題なく使えるようになります。

```
Workbooks.Open Filename:=ThisWorkbook.Path & "¥操作対象ブックフォルダ¥202606131230.xls"
```

【日本語訳】ブックのオープン。対象ファイル名は、このブックが入っているフォルダの中の、「操作対象ブックフォルダ」の中の、202604061121.xls

　ThisWorkbookというのは、「このブック」と訳したように、実行するプロシージャが含まれている、マクロを実行するブック自分自身のことを意味します。Pathは「保存場所」と訳してもいいのですが、より具体的なイメージがわかりやすくなるように「フォルダ」と訳して説明しています。ピリオド（.）は「の」と訳してきましたが、「このブックのフォルダ」では日本語として理解しづらい恐れがあるので、ここではThisWorkbook.Pathを「このブックが入っているフォルダ」と訳して説明しています。

　この処理を含むプロシージャが入っているブックがどこにあろうと、"ThisWorkbook.Path"がその「現在位置」を取得する「値の取得」の処理をおこないます。この書き方を使うことで、「データ追加作業フォルダ」をどこに移動しようと使えるプロシージャになるのです。

注意

　Windowsのクラウドストレージサービスである OneDrive 内に保存されているファイルでは、この ThisWorkbook.Path による「現在の保存場所」を示す文字列の取得において問題が発生し、エラーになる現象が発生しま

す。具体的には、OneDrive内ではThisWorkbook.Pathがネット上のアドレスである「URL」の文字列を取得してしまい、このURLをVBAで扱うことはできないためにエラーが起きて、マクロの実行が止まってしまいます。

　この問題についてはさまざまな解決策が提示されていますが、弊社が推奨するのはシンプルに

　　「この処理を使うExcelマクロは、OneDrive内では使わない」

というものです(ちなみに、弊社ではOneDriveは無効化しています)。

いちいち開きたいブックの名前の指定などしていられない

　ただ、この書き方でもまだ、「開きたいブックの名前」が「202604061121.xls」という固定的なブック名での指定となっています。これだと、開きたいブックの名前が変わるたびに、プロシージャの該当部分、つまり「開きたいブック名」の指定部分を毎回正確に書きかえなければなりません。

　では、どうするか。「開きたいブックの保存場所」をThisWorkbook.Pathという処理でその都度取得する処理にしたように、「開きたいブックの名前」もその都度取得する仕組みにすることで、この問題を解決します。そのために、わざわざ「操作対象ブックフォルダ」を用意して、その中に開きたいブックを入れる、というフォルダ構成にするのです。その開きたいブックの名前が何であろうと、「操作対象ブックフォルダ」の中に入ってさえいれば、そのブックを確実に開けるように工夫します。これが、「操作対象ブックフォルダ」というフォルダ名は変えてはいけない理由です。

　この仕組みを作るために、まず「操作対象ブックフォルダ」の中に入っているブックの名前をその都度調べて変数に入れる処理を加えます。その変数を、Workbooks.Openのあとに書くブック名の指定に使うのです。

　ブックの名前を調べるこの処理には、Dir関数というものを使います。

【Dir関数】

変数 = Dir（名前を調べたいブックのフルパス）

　Dir関数は、カッコの中にフルパスで指定したブックの名前を調べて変数に入れる関数です。指定したブックがもし存在しなかったら、変数は空白のままになります。

　既存の別ブックを開く処理の正しい手順の最終的な結論となる書き方が次のものです。

```
Dim bookname As String ←①
bookname = Dir(ThisWorkbook.Path & "¥操作対象ブックフォルダ¥*") ←②
Workbooks.Open Filename:=ThisWorkbook.Path & "¥操作対象ブックフォルダ¥" & bookname
                                                                        ③
```

　①では、開きたいブックの名前を入れる変数として、文字列型の変数booknameを宣言しています。

　②では、「操作対象ブックフォルダ」の中に入っているブックの名前を変数booknameに入れています。この変数booknameを次の③の手順でWorkbooks.Openの「開きたいブック名」として使うのです。これが、「開きたいブックの名前はその都度変わる。いちいち開きたいブックの名前など指定していられない」という問題を解決する工夫です。

　③では、②の処理で、開きたいブックの名前を入れた変数booknameを使って、Workbooks.Openというメソッド文によりそのブックを開く処理になっています。

　① 開きたいブックを入れるための専用のフォルダを用意する。
　② その中に開きたいブックを1つ入れる。
　③ Dir関数で、そのブックの名前を変数に入れる。
　④ その変数を開きたいブックの名前として使う。

これが、実務で本当に使い物になる「ブックの開き方」の仕組みです。
この時、もし「操作対象ブックフォルダ」の中に何もブックがなければ、

変数booknameには何も値が入らないので、エラーになって処理が止まります。

　また、「操作対象ブックフォルダ」の中に入れるファイルは1つだけにする、というルールを前提にしています。複数のブックを連続して開いて処理するようなケースは、このあとで解説します。

Excel作業自動化ツールの超具体的な作成手順

　では、「Webからダウンロードしたブックのデータに、列を追加してデータを入力する」という作業を自動化するケースを例に、自動化ツール一式を作るプロセスを見ていきましょう。第2章で基本として解説したデータ処理のプロシージャを、より実践的に発展させていきます。実際に練習する際は、以下のURLから演習用ブックをダウンロードして使ってください。

http://sugoikaizen.com/excelvba/

　そのダウンロードしたブック「202604061121.xls」には、以下のようにA列からE列までデータが入っています。

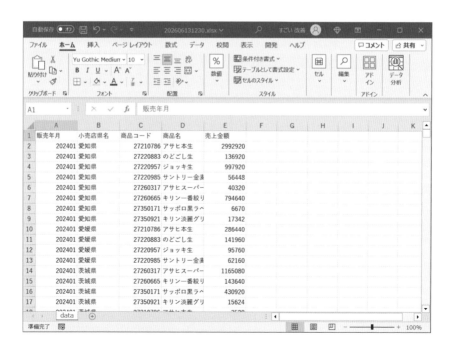

このデータのF列からH列に、次のようにデータを追加入力する作業を自動化するプロシージャを作成します。

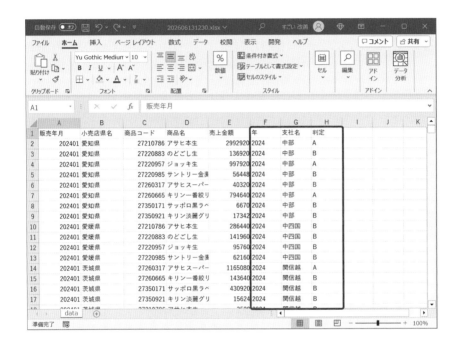

具体的な作業手順を日本語で書き出して整理する

まずは、具体的な作業手順を日本語で書き出して整理するところからスタートします。自動化ツールの"設計"をおこなう作業です。設計図もなしにツールを作るのは非常に大変なので、まずこの作業で一連の処理の内容を整理するのです。

❶ ダウンロードしたブックを開く。

❷ F1セルに「年」、G1セルに「支社名」、H1セルに「判定」と入力する。

❸ F列には、Left関数で、A列のセルの左から4文字を入力する。

❹ G列には、VLookup関数で、B列の小売店県名を支社名に変換した値

を入力する。

❺ H列には、E列の売上金額が50万以上ならA、そうでないならBを入力する。

❻ ❸〜❺の入力を、2行めから最終行まで繰り返す。

❼ 終了したら、このブックは保存して閉じる。さらに、用意しておいた「処理済ブックフォルダ」にこのブックを移動する。

【注意点】

ダウンロードするファイルの名前が毎回変わっても大丈夫なようにする。

今回であれば、この程度書き出せば十分です。

■ 自動化ツール一式をそろえる手順

では、実際に自動化ツール一式をそろえていきましょう。

❶ 自動化ツール一式をまとめるフォルダを1つ作る。

作る場所や名前は何でもいいのですが、今回はデスクトップに「データ追加作業フォルダ」という名前で作ります。

❷ その中に、ダウンロードしたファイルを開いて中身を処理していくマクロ
を実行するExcelブック（マクロ実行ブック）を1つ用意する。

　今回は「実行ブック.xlsm」という名前にしました。あとからでも変更で
きます。ファイル形式は「マクロ有効ブック(.xlsm)」で用意します。

「操作対象ブックフォルダ」「処理済ブックフォルダ」を用意する

　ここでいっしょに、「操作対象ブックフォルダ」を用意します。このフォ
ルダの中に、今回の操作対象ブックである「202604061121.xls」を入れて
おきます。また、処理が終わったブックは「操作対象ブックフォルダ」から
別のフォルダに移しておく仕組みにしたいので、移動先である「処理済
ブックフォルダ」も作成します。

第5章　面倒なルーティンワークを自動化するための具体的プロセス

❸「実行ブック.xlsm」を開き、必要なシートをそろえる。まず、県名を支社名に変換するVLookup関数用のマスタを用意する。

　都道府県名と支社名の対応表を図のように作成します。シート名は「マスタ」としておきます。

　また、表紙やトップページとなるシートとして「TOP」というシートもここでは追加しています。

	A	B	C	D
1	県名	支社		
2	北海道	北海道		
3	青森県	東北		
4	岩手県	東北		
5	宮城県	東北		
6	秋田県	東北		
7	山形県	東北		
8	福島県	東北		
9	茨城県	関信越		
10	栃木県	関信越		
11	群馬県	関信越		
12	埼玉県	首都圏		
13	千葉県	首都圏		
14	東京都	首都圏		
15	神奈川県	首都圏		
16	新潟県	関信越		
17	富山県	中部		

TOP　マスタ　⊕

❹ [Alt]＋[F11]でVBEを起動→標準モジュールを挿入、次のプロシージャを
入力する。

```
Option Explicit

Sub データ追加作業()
    Application.ScreenUpdating = False
    Dim i As Long
    Dim bookname As String
    bookname = Dir(ThisWorkbook.Path & "¥操作対象ブックフォルダ¥*")
    Workbooks.Open ThisWorkbook.Path & "¥操作対象ブックフォルダ¥" & bookname
        With ActiveSheet
            .Range("F1") = "年"
            .Range("G1") = "支社名"
            .Range("H1") = "判定"
            For i = 2 To .Cells(.Rows.Count, 1).End(xlUp).Row
                .Cells(i, 6) = Left(.Cells(i, 1), 4)
                .Cells(i, 7) = WorksheetFunction.VLookup( _
                    .Cells(i, 2), ThisWorkbook.Sheets("マスタ").Range("A:B"), 2, 0)
                If .Cells(i, 5) >= 500000 Then
                    .Cells(i, 8) = "A"
                Else
                    .Cells(i, 8) = "B"
                End If
            Next
        End With
    ActiveWorkbook.Close savechanges:=True
    Name ThisWorkbook.Path & "¥操作対象ブックフォルダ¥" & bookname _
        As ThisWorkbook.Path & "¥処理済ブックフォルダ¥" & bookname
    MsgBox "完了しました"
End Sub
```

このプロシージャのくわしい内容は補足サイトにて解説しています。

❺ 自分以外の人でも使いやすいように、「TOP」のシートに使用方法の説明や実行ボタンを配置する。

　この部分は、第3章P.157の「自動化ツールをシート上のボタンクリックで動かせるようにする」も参照してください。

　このような表紙（トップ画面となるシート）は、枠線を外して見やすく、またシートの保護でボタンクリック以外いっさいいじれないようにしておくことをおすすめしています。また、必須ではなく好みの問題という程度の話ですが、シートの行列番号も非表示にしています。このケースでは「マスタ」シートの名前を変更されるとエラーの原因になってしまうので、変更できないように「ブックの保護」機能でガードをかけるなどの対策をとります。シート名を変更されても問題なく使えるマクロの作り方もありますが、こうした機能でガードできるなら、それで困ることは現実的にはあ

りません。

シートの枠線を非表示にするには

[表示] タブ→[目盛線（Excel 2013以前は枠線）] からチェックを外します。

シートの保護でボタンクリック以外できなくするには

[校閲] タブ→[シートの保護]→[ロックされたセル範囲の選択] から
チェックを外します。

行列番号を非表示にするには

［ファイル］→［オプション］→［詳細設定］→［行列番号を表示する］からチェックを外します。

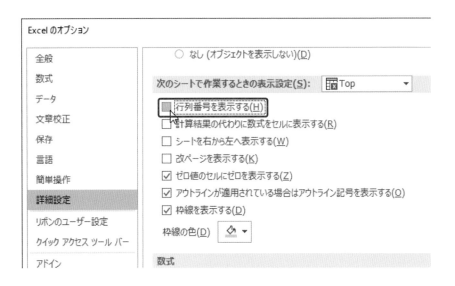

　これで、1つのフォルダにまとまった自動化ツール一式の出来上がりです。フォルダ一式であれば、どこに移動しても使えるようになります。

　ただし、メール添付で送るなどした場合、圧縮されメールに添付されているままの状態で開いてもうまく使えません。一度デスクトップなどに置いて、かつZIPファイルなどになっている場合は展開し、圧縮されてない普通のフォルダとしてデスクトップなどに置いてある状態で使う必要があります。

　今回は処理するファイルが1つだけでした。では、複数のたくさんあるファイルを次々開いては処理していかなければならないような場合はどうすればいいでしょうか。いよいよ次章では、そのような大量ファイルの処理を自動化していく、ちょっとしたソフトウェアレベルの作業自動化Excelを開発する考え方の紹介に進んでいきます。

ここで改めて、面倒なExcelによるルーティンワークを自動化する際の具体的な手順をまとめます。

❶ デスクトップにフォルダを1つ作る。

　このフォルダの中に、作業に必要なファイルやフォルダ一式を入れ、仕組み化された1つのパッケージとして使っていくことになります。

❷ その中に新規Excelブックを1つ作る。

　このブックを開いて標準モジュールを挿入し、作業を自動化するプロシージャを作ります。

　これが「マクロ実行ブック」になります。作業を自動化するマクロを使うときはこのブックを開き、マクロを登録したボタンをクリックして作業を一瞬で終わらせることになります。

❸ 必要に応じて、処理するブックを入れるためのフォルダなどを用意する。

　完成したツールの使い方として、処理したいブックは所定のフォルダに入れてからマクロを実行するなどの使用上のルールが必要になります。

　極論すると、Excel作業自動化ツールの開発手順の最初の一歩は「フォルダを1つ作る」、ここからスタートするということです。そして、その中にどのようなブックやフォルダを設置するかという「フォルダ構成を整える」という発想の重要性を強調しておきます。

第 **6** 章

大量のフォルダや
ファイルの処理も
瞬殺する自動化
ツールの作り方

大量のブックを開いて閉じての繰り返し……という作業も1クリックで片づける方法

某社人事総務部でおこなわれていた勤怠データの集約作業

　某社人事総務部では、勤怠データを集約するために、次のような作業が毎月おこなわれていました。

❶ 月末に、全社員の勤怠管理表Excelブックを全員分集める。
❷ その全員分のExcelブックを1つずつ開いて、「社員名」と「残業時間合計」の2つのデータを集約表に転記する。

　いくつもブックを開いては、データを転記して閉じる……という作業の繰り返しで、大変時間がかかっていました。このルーティン作業をどのように1クリックで完了できるよう自動化したかを見てみましょう。
　まず、各社員が入力して提出してくる勤怠管理表ファイルには次のようなシートがあります。

勤怠管理表

	A	B	C	D	E	F	G	H	I	J
1	勤怠管理表		氏名	吉田 拳						
2										
3	2026	年								
4	06	月								
5										
6	日	曜日	全日出勤	半日出勤	全休	半休	時間外労働	休日出勤時間		
7	2026/6/1	月								
8	2026/6/2	火								
9	2026/6/3	水								
10	2026/6/4	木								
11	2026/6/5	金								
12	2026/6/6	土								
13	2026/6/7	日								
14	2026/6/8	月								
15	2026/6/9	火								
16	2026/6/10	水								
17	2026/6/11	木								
18	2026/6/12	金								
19	2026/6/13	土								
20	2026/6/14	日								
21	2026/6/15	月								
22	2026/6/16	火								
23	2026/6/17	水								
24	2026/6/18	木								
25	2026/6/19	金								
26	2026/6/20	土								
27	2026/6/21	日								
28	2026/6/22	月								
29	2026/6/23	火								
30	2026/6/24	水								
31	2026/6/25	木								
32	2026/6/26	金								
33	2026/6/27	土								
34	2026/6/28	日								
35	2026/6/29	月								
36	2026/6/30	火								
37										
38		計	0	0	0	0	0:00			
39										

　D1セルに社員名、G38セルに残業時間計のセルがありますね。この2つのセルの値を集約表に転記するわけです。

　そして、集約表は以下のようなシートです。

215

▼ 集約表

	A	B	C
1			
2			
3	フォルダID	202606	
4			
5	担当者名	残業時間	
6	タンク 松本	0:00	
7	佐藤 佳	0:00	
8	内山 ボンバイエ	0:00	
9	吉田 拳	0:00	
10	山岡 誠一	0:00	
11	松浦 誠	0:00	
12	氷室 裕	0:00	
13	熊澤 聡	0:00	
14	遠藤 斉	0:00	
15	鹿島 直美	0:00	
16			
17			

　A列に社員名、B列に残業時間を入力することになっています。つまり、勤怠管理表ファイルを開いて、そのシートのD1セルとG38セルの値を集約表のA列、B列に順番に転記するという作業を繰り返すことになります。

大量のブックを処理するための設計のコツ

　第5章では、ブックを1つだけ開いて処理する自動化ツールを作りましたが、今回は処理するブックがたくさんあります。このように大量のブックを次々に開いては処理して閉じる作業を繰り返す場合、手順としては次の2段階で設計します。

❶ まず、処理するブック名の一覧表をシート上に作る。

❷ その一覧表に書き出されたブックの名前を、Workbooks.Openの処理の「開きたいブック名」の部分に使って順番に開く。具体的には、For Next構文によって、ブックを順番に開いては、D1セルとG38セルの値を集約表に転記してファイルを閉じるという処理を繰り返す。

　この第1段階と第2段階それぞれで、1つずつプロシージャを作ります。つまり、2つのプロシージャを作ります。そして最後に、その2つのプロシージャを1つのプロシージャにまとめます。最初からすべての処理を1つのプロシージャにまとめる必要はありません。作りやすい小さなプロシージャをいくつか作って、あとでまとめることで、開発作業も、事後のメンテナンスもやりやすくなります。

　では、この作業の自動化ツール一式、具体的には「勤怠管理表集約フォルダ」の具体的な作成手順を見ていきましょう。

最初にフォルダを1つ作る

　第5章でも解説してきたとおり、繰り返し使っていく作業自動化用ツール一式はいくつかのファイルとフォルダから構成され、1つのフォルダにまとめておきます。そのフォルダごとであればどこに移動しても問題ないように作るのでしたね。

　今回は、デスクトップでフォルダを1つ作り、「勤怠管理表集約フォルダ」と名前をつけました。

この名前は、そのフォルダがどんな作業を自動化する一式が入っているものなのかがわかりやすければ、何でも大丈夫です。もちろん、自分だけでなく、ほかの人にこの一式を使っていただく際にもわかりやすくしておくことが大切です。このフォルダ名は自動化のためのプロシージャには影響しないので、あとで気軽に変えることができます。

フォルダの中に自動化に必要なブックやフォルダを配置していく

この自動化ツール一式は、次のような仕組みで設計しました。今回は、2026年6月分の全員分のデータをサンプルに、自動化ツールを作っていくことにしました。

❶ 「勤怠管理表集約フォルダ」の中に「勤怠管理表集約ファイル」というブックと「202606_勤怠管理表」というフォルダを用意する。

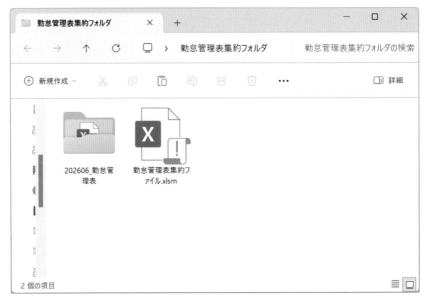

この「勤怠管理表集約ファイル」が、マクロを実行するブックになります。

❷ 2026年6月分の全社員分の勤怠管理表ブックを、この「202606_勤怠管理表」の中に入れる。

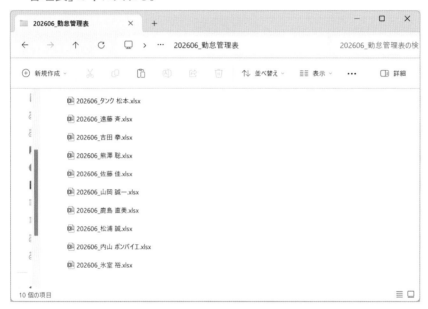

❸ マクロを実行するブックとなる「勤怠管理表集約ファイル」に、全ブックから社員名と残業時間を転記していく表のシート、処理するブック名一覧表を作るシートの2つを用意する。

ここでは、それぞれ以下の名前にしています。

・全ブックから社員名と残業時間を転記していく表のシート
→残業時間一覧

	A	B
1		
2		
3	フォルダID	202606
4		
5	担当者名	残業時間
6		
7		
8		
9		
10		
11		
12		
13		
14		
15		
16		
17		
18		
19		
20		
21		

残業時間一覧　ファイル名一覧表　＋

準備完了

　B3セルに「202606」とありますが、これは処理対象のブックを開く際、そのブックが入っているフォルダ名の指定に使うために用意したセルです。

　今回の勤怠管理表集約の作業は、毎月発生します。すると、勤怠管理表を集めて入れておくフォルダの名前はずっと「202606_勤怠管理表」であるわけではなく、翌月には「202607_勤怠管理表」と名前が変わります。今回の場合は、フォルダ名の頭6文字が毎月変わります。このような場合に、プロシージャ内で処理するフォルダの名前を書き直すようでは実用的はないので、その部分はセルに入力してフォルダ名の指定に使う、という意図でこのようなセルが用意されているということです。

・処理するブック名一覧表を作るシート

→ファイル名一覧表

	A	B	C
1	202606_タンク 松本.xlsx		
2	202606_佐藤 佳.xlsx		
3	202606_内山 ボンバイエ.xlsx		
4	202606_吉田 拳.xlsx		
5	202606_山岡 誠一.xlsx		
6	202606_松浦 誠.xlsx		
7	202606_氷室 裕.xlsx		
8	202606_熊澤 聡.xlsx		
9	202606_遠藤 斉.xlsx		
10	202606_鹿島 直美.xlsx		
11			
12			
13			
14			
15			
16			
17			
18			
19			
20			
21			

残業時間一覧　ファイル名一覧表　(+)

準備完了

フォルダの中にあるブック名の一覧表を シート上に書き出す

準備ができたら、「202606_勤怠管理表」フォルダの中にあるブック名一覧を「ファイル名一覧表」シートのA列に1行めから順番に入力していくプロシージャを作ります。

「勤怠管理表集約ファイル」の標準モジュールに、次のプロシージャを作成します。

必要な事前情報として、このプロシージャは、"残業時間一覧"シートの

B3セルに「202606」と入力した状態で実行することを意図して作られたものです。

```
(General)                                        ∨   ファイル名一覧表
  Option Explicit

  Sub ファイル名一覧表()
      Application.ScreenUpdating = False
      Dim i As Long, bookname As String        ← ①
  ┌─ With Sheets("ファイル名一覧表")
  │       .Columns(1).ClearContents            ← ③
  │       bookname = Dir(ThisWorkbook.Path & "\" &    ← ④
  │           Sheets("残業時間一覧").Range("B3") & "_勤怠管理表\*")
  │       Do While bookname <> ""              ← ⑤
 ②│           i = i + 1  ← ⑥
  │           .Cells(i, 1) = bookname          ← ⑦
  │           bookname = Dir()                 ← ⑧
  │       Loop
  └─ End With
  End Sub
```

このプロシージャを実行すると、先ほどの「ファイル名一覧表」の図のように、「ファイル名一覧表」シートのA列に、「202606_勤怠管理表」フォルダの中にあるファイル名一覧が書き出されます。

まず、わかるところから解読してみましょう。

①では、変数を2つ宣言しています。変数iと変数booknameです（整数型、文字列型については、P.355を参照）。複数の変数を宣言する場合は、1つずつDimで宣言してもいいですし、このようにカンマ (,) で区切って続けて宣言することもできます。

②では、With構文で「ファイル名一覧表」シートを一括指定しています。End Withまでの間は、ピリオドがついているセル指定は「ファイル名一覧表」シートのセルだ、ということになります（With構文については、P.100を参照）。

③は初期化です。A列への入力前にセルの値消去をしておきます（初期化の考え方は、P.124を参照）。Columns(1)というのはシートの1列め、つまりA列全体を指定する書き方です。

ここまでは、本書で解説してきた内容で解読できます。次の④からが、

新しく解説する、フォルダ内のファイル名一覧をシートに書き出す処理になります。

　④では、Dir関数のカッコ内に指定したブックの名前を、変数booknameに格納します（Dir関数については、P.200を参照）。

　1行が長いので、&のあとで改行しています。&の前後には、必ずスペースを入れます。そして改行するには、その箇所でスペースとアンダーバー（_）を入力します。

　カッコ内の次の指定が何を指しているかを解読してきましょう。

```
ThisWorkbook.Path & "¥" & Sheets("残業時間一覧").Range
("B3") & "_勤怠管理表¥*"
```

【日本語訳】

　　このブックが入っているフォルダの中の、"残業時間一覧"シートのB3セルの値と「_勤怠管理表」をつないだ名前（つまり、"202606_勤怠管理表"）のフォルダの中の、いずれか1つのブック

"残業時間一覧"シートのB3セルに「202606」と入力されているとします。すると当然、Sheets("残業時間一覧").Range("B3")の値は「202606」だということになります。

　これと、"_勤怠管理表"という文字列を&でつなぐと、「202606_勤怠管理表」というフォルダ名になりますね。

　その次に、"¥"マークを書きます。この"¥"マークは、「〜の中の」と読みます。

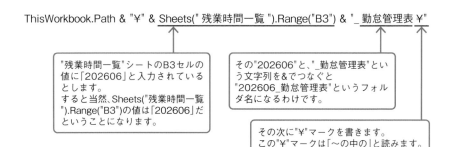

ThisWorkbook.Path & "¥" & Sheets(" 残業時間一覧 ").Range("B3") & "_勤怠管理表 ¥"

> "残業時間一覧"シートのB3セルの値に「202606」と入力されているとします。
> すると当然、Sheets("残業時間一覧").Range("B3")の値は「202606」だということになります。

> その"202606"と、"_勤怠管理表"という文字列を&でつなぐと"202606_勤怠管理表"というフォルダ名になるわけです。

> その次に"¥"マークを書きます。この"¥"マークは「〜の中の」と読みます。

　ひと言でまとめると、「202606_勤怠管理表」フォルダの中のいずれか1つのブック名を変数booknameに入れる処理が④でおこなわれるということです。

　⑤では、DoLoop構文により、DoとLoopの間に書いた処理の繰り返しが始まります。

【DoLoop構文】

Do While 条件式

　　　　　　　　←　この間に、Whileのあとに書かれた条件が成立してる間繰り返す処理を書く

Loop

　繰り返しが続く条件は、「Do While bookname <> ""」ということなので、「変数booknameが空白ではない間は繰り返す」という意味になります。

　⑥は、変数iの値を1増やす処理です。変数iは整数型で宣言されると最初はゼロになっているので、反復処理の1回めでiは1、2回めでiは2になる、という具合に増えていきます。右辺の変数iに1を足して、左辺の変数iに入れる、という処理です。この変数iが、次の⑦の処理で入力するセルの行数指定に使われます。

　⑦では、.Cells(i,1)、つまりA列のセルに変数booknameに入っているブック名を入力します。Cellsの頭にピリオド（.）がついていますから、このセルは「Withのあとに指定している"ファイル名一覧表"シートのセル」という指定になっています。

　⑧の「bookname = Dir()」……これは何でしょうか。Dir関数のカッコの中が空っぽ、つまりカッコ内が省略されていますね。これはどんな処理かというと、この直前に書かれたDir関数の処理（今回のプロシージャでは④の処理にあたります）と同じことをします。しかし、すでに名前を変数booknameに入れたファイル以外のファイル名を変数に入れるという処理をするのです。

　実際のサンプルでその動作を説明します。プロシージャを実行するExcelブックと同じ場所にある「data」というフォルダの中に「book1.xlsx」「book2.xlsx」「book3.xlsx」という3つのブックを入れた状態で、次のプロシージャを実行した場合の実行結果を見てみましょう。

```
Option Explicit

Sub sample()
    Dim bookname As String

    bookname = Dir(ThisWorkbook.Path & "¥data¥*") ←①
    MsgBox bookname  ←②

    bookname = Dir()  ←③

    MsgBox bookname  ←④

    bookname = Dir()  ←⑤

    MsgBox bookname  ←⑥

    bookname = Dir()  ←⑦

    MsgBox bookname  ←⑧
End Sub
```

　①では、このプロシージャを実行しているブックのフォルダの中の、「data」フォルダの中にあるブックの中から、いずれかのブックの名前を変数booknameに入れます（最後の*記号はあってもなくてもかまいません）。

　②は、メッセージボックスで変数booknameの値を表示する処理です。これが実行されると、「book1.xlsx」と出ます。

③は、この直前のDir関数、つまり①の処理を繰り返します。ただし、すでに変数booknameに入れたブック、つまり「book1.xlsx」以外のブックの名前が変数booknameに入れられます。

④を実行すると、変数booknameには次は「book2.xlsx」という値が入ってることがわかります。

「1つの変数に入れられる値は、一度に1つだけ」という性質があります。②の時点では「book1.xlsx」という値が変数booknameには入っていましたが、③で別の値を変数booknameに入れると、その処理によって「book1.xlsx」は変数booknameから追い出され、変数booknameの値は「book2.xlsx」に変わる、ということです。

⑤は、直前のDir関数、つまり③の処理を繰り返します。ただし、すでに変数booknameに入れたブック、つまり「book1.xls」、「book2.xls」以外のブックの名前が変数booknameに入れられます。

⑥を実行すると、変数booknameには次は「book3.xlsx」という値が入ってることがわかります。

⑦は、直前のDir関数、つまり⑤の処理を繰り返します。ただし、すでに変数booknameに入れたブック以外のブックの名前が変数booknameに入れられます。しかし、「data」フォルダの中にある3つのブック名はもう全部Dir関数によって変数booknameに入れられました。このように、「もう全部入れ終わったよ」という状態でこの処理を実行すると、変数booknameの中身は空白になります。

⑧を実行すると、変数booknameには何も値が入っていない、つまり空白であることがわかります。

このように、Dir関数は「指定したフォルダ内にあるファイルの名前を次々に変数に入れていく」という使い方ができるわけです。これをDo Loop構文で繰り返すことで、すべてのブックの名前をシート上に書き出すのです。

このプロシージャを F8 によるステップイン実行で1行ずつ進めて、その動作の様子を見てみましょう。「ファイル名一覧表」シートのA列に、「202606_勤怠管理表」フォルダの中のブック名が1つずつ入る処理を進めます。

まず、5行めの処理でA列をあらかじめ空白にする処理をおこないます。この状態で F8 を押すと……

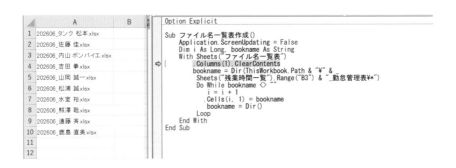

A列のデータが消えました。変数booknameに最初に入力するブック名を入れる処理に移ります。

F8 を押すと、変数booknameにいずれかのファイル名が入ります。

```
Option Explicit

Sub ファイル名一覧表作成()
    Application.ScreenUpdating = False
    Dim i As Long, bookname As String
    With Sheets("ファイル名一覧表")
        .Columns(1).ClearContents
        bookname = Dir(ThisWorkbook.Path & "¥" & _
        Sheets("残業時間一覧").Range("B3") & "_勤怠管理表¥*")
⇨       Do While bookname <> ""
            i = i + 1
            .Cells(i, 1) = bookname
            bookn┌──────────────────────────────────┐
        Loop     │ bookname = "202606_タンク 松本.xlsx" │
    End With     └──────────────────────────────────┘
End Sub
```

そのままDoLoop構文の中に入ります。この時点では、変数iの値はゼロ
です。

```
Option Explicit

Sub ファイル名一覧表作成()
    Application.ScreenUpdating = False
    Dim i As Long, bookname As String
    With Sheets("ファイル名一覧表")
        .Columns(1).ClearContents
        bookname = Dir(ThisWorkbook.Path & "¥" & _
        Sheets("残業時間一覧").Range("B3") & "_勤怠管理表¥*")
        Do While bookname <> ""
⇨ |         i = i + 1
        ┌─────┐ls(i, 1) = bookname
        │ i = 0 │bookname = Dir()
        └─────┘
        Loop
    End With
End Sub
```

F8を押すと、ゼロだった変数iに1を足した値を変数iに入れる処理によって、変数iが1になります。そして、いよいよこの行の処理を実行すると……

```
Sub ファイル名一覧表作成()
    Application.ScreenUpdating = False
    Dim i As Long, bookname As String
    With Sheets("ファイル名一覧表")
        .Columns(1).ClearContents
        bookname = Dir(ThisWorkbook.Path & "¥" & _
        Sheets("残業時間一覧").Range("B3") & "_勤怠管理表¥*")
        Do While bookname <> ""
            i = i + 1
            .Cells(i, 1) = bookname
            bookname = Dir()
        Loop
    End With
End Sub
```

A1セルに、変数booknameの値が入力されました。

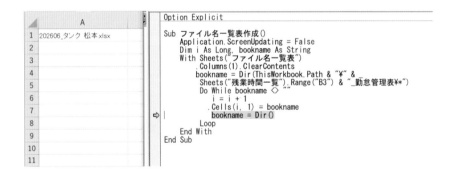

　F8を押して「bookname=Dir()」の行を実行すると、変数booknameに次のブック名が入ります。

```
Sub ファイル名一覧表作成()
    Application.ScreenUpdating = False
    Dim i As Long, bookname As String
    With Sheets("ファイル名一覧表")
        .Columns(1).ClearContents
        bookname = Dir(ThisWorkbook.Path & "¥" & _
```
bookname = "202606_佐藤 佳.xlsx"
```
            一覧").Range("B3") & "_勤怠管理表¥*")
        Do While bookname <> ""
            i = i + 1
            .Cells(i, 1) = bookname
            bookname = Dir()
⇨       Loop
    End With
End Sub
```

以降、

- 変数iの値を1増やす → i=i+1
- セルに変数booknameの値を入力する → Cells(i,1) = bookname
- 変数booknameに次の値を入れる → bookname =Dir()

という3つの処理をDoLoop構文で繰り返すことによって、フォルダ内のすべてのブック名をA列に書き出す処理が完了されます。

	A
1	202606_タンク 松本.xlsx
2	202606_佐藤 佳.xlsx
3	202606_内山 ボンバイエ.xlsx
4	202606_吉田 拳.xlsx
5	202606_山岡 誠一.xlsx
6	202606_松浦 誠.xlsx
7	202606_氷室 裕.xlsx
8	202606_熊澤 聡.xlsx
9	202606_遠藤 斉.xlsx
10	202606_鹿島 直美.xlsx
11	
12	

```
Option Explicit

Sub ファイル名一覧表作成()
    Application.ScreenUpdating = False
    Dim i As Long, bookname As String
    With Sheets("ファイル名一覧表")
        .Columns(1).ClearContents
        bookname = Dir(ThisWorkbook.Path & "¥" & _
        Sheets("残業時間一覧").Range("B3") & "_勤怠管理表¥*")
        Do While bookname <> ""
            i = i + 1
            .Cells(i, 1) = bookname
            bookname = Dir()
        Loop
    End With
End Sub
```

　いつまでこの3つの処理が繰り返されるかというと、それはDo While bookname<>""と繰り返す条件が書かれているように、変数booknameが空

白ではない間は繰り返されるということになります。bookname =Dir()の処理ですべてのブック名が変数booknameに入れられたあとに、またbookname =Dir()を実行すると、変数booknameは空白になる。そうなるまで繰り返される、ということです。

ファイル名一覧表の名前のファイルを次々に開いては処理して閉じる

次に、「ファイル名一覧表」シートに書き出された名前のファイルを次々に開いては処理して閉じる操作を自動化するプロシージャを作成します。

ファイルを開く構文は次の形式でしたね。

【書式】

Workbooks.Open Filename:=開きたいブックの保存場所¥開きたいブックの名前

この構文の「開きたいブックの名前」の部分に"ファイル名一覧表"シートA列の1行めから最終行までの値を順番に使って、1つずつブックを開く処理を繰り返します。

先ほど作った「ファイル名一覧表作成」プロシージャと同じ標準モジュールに、この処理をおこなう次のプロシージャを作ります。ここでは、プロシージャ名は「担当者別残業時間一覧」としました。

```
Sub 担当者別残業時間一覧()
    Application.ScreenUpdating = False
    Dim i As Long, r As Long        ←①
    Dim f As Worksheet
    Set f = Sheets("ファイル名一覧表")    ←②
    With Sheets("残業時間一覧")    ←③
        .Range("A5").CurrentRegion.Offset(1, 0).ClearContents    ←④
        For i = 1 To f.Cells(f.Rows.Count, 1).End(xlUp).Row    ←⑤
            r = .Cells(.Rows.Count, 1).End(xlUp).Row + 1    ←⑥
            Workbooks.Open ThisWorkbook.Path & "¥" &    ←⑦
                .Range("B3") & "_勤怠管理表¥" & f.Cells(i, 1)
                .Cells(r, 1) = Range("D1")    ←⑧
                .Cells(r, 2) = Range("G38")    ←⑨
            ActiveWorkbook.Close savechanges:=False    ←⑩
        Next
    End With
End Sub
```

長いですが、1つずつ見ていきましょう。

① まず変数を3つ宣言します。

i、r、fの3つですが、これはそれぞれ以下の用途です。

・変数i

→"ファイル名一覧表"シートの1行めから最終行までのセルの値を1つずつ
使ってブックを開く処理を繰り返すために、For Next構文を使います。そ
のFor Next構文のカウンター変数として、このiを使います。
また、Workbooks.Openの「開きたいブック名」に使うセルの行数指定
にも、この変数iを使います。

・変数r

→"残業時間一覧"シートでのセルへ入力において、データを入力するセル
の行指定に使います。行を意味する「row」の頭文字を取っています。

・変数f

→With構文で指定しない"ファイル名一覧表"シートの短縮名称として使

います。ワークシート型を意味するAs Worksheetという型指定をしています。

　With構文で指定するシート以外のシート指定を、毎回次のように普通の書き方をしていたら、長くて面倒です。

```
Sheets("ファイル名一覧表").Cells(i,1)
```

　そこで、Sheets("ファイル名一覧表")に「f」というニックネームをつけると、

```
f.Cells(i,1)
```

というすっきりした書き方にできます。このように、変数をオブジェクトのニックネームにするには、次の②の処理が必要になります。

② オブジェクトを変数に入れるSetステートメントを記します。
　変数に数値や文字を入れる場合は、「i = 1」のように、単純にイコールの左辺に変数、右辺に変数に入れたい値を書くだけでよかったのですが、変数をオブジェクトのニックネームとして設定するには、1つ単語を先頭に追加する必要があります。「Set」という単語です。

```
Set f = Sheets("ファイル名一覧表")
```

　これで、このプロシージャの中では、変数fはSheets("ファイル名一覧表")を表すニックネームとして使えるようになります。文法的には、Setステートメントという文型になります。

③ シートの一括指定をおこなうために、With構文を使います。

　WithとEnd Withの間に書かれているピリオド（.）つきのCellsは、すべてWithのあとに書かれているSheets("残業時間一覧")のセルということになります。このように、複数のシートを扱う場合は、メインとなるシートをWith構文で指定、それ以外のシートは変数による短縮名称で指定する方法をおすすめします。

④ データを初期化します。

　セルへのデータ入力をする前に、5行めの項目行を除いて、既存データをいったん消去します（第3章P.124を参照）。

⑤ ブックを次々に開く処理を繰り返すFor Next構文。

　「ファイル名一覧表」シートA列の1行めからデータ最終行までのセルの値を順番に

Workbooks.Open Filename:=開きたいブックの保存場所¥開きたいブック名

の「開きたいブック名」の部分に使って、ブックを次々に開く処理を繰り返すためのFor Next構文です。

⑥ "残業時間一覧"シートで何行めのセルに入力するか、その行数を変数rに入れます。

　データ最終行の行数に1を足しているのがポイントです。たとえばこのような状況の場合、

```
r = .Cells(.Rows.Count, 1).End(xlUp).Row
```

という処理だと、変数rには「5」が入ってしまいます。P.220の表で最初に

データを入力したいのは5行めではなく、もう1行下の6行めですよね。
　なので、A列データ最終行のセルの行数に1を足すことで、

```
    r = .Cells(.Rows.Count, 1).End(xlUp).Row + 1
```

という処理になっているのです。

⑦　ブックを開きます。

⑧　"残業時間一覧"シートA列のr行めに、今開かれているブックのD1セル
　　の値を入力します。

⑨　"残業時間一覧"シートB列のr行めに、今開かれているブックのG38セル
　　の値を入力します。

　⑧、⑨いずれも、⑥で変数rに、"残業時間一覧"シートにて入力するセル
の行数を入れているので、それをここで使います。

⑩　開いたブックを閉じます。

　アクティブ状態のブックを閉じる、という処理です。開かれたブックはア
クティブ状態になるので、アクティブなブックを意味するActiveWorkbookと
いうオブジェクト名で、Closeメソッドにより閉じるブックを指定するこ
とができます。さらに、引数savechanges:=Falseを追加し、保存しないで閉
じる旨を明記しています。
　最後に、この2つのプロシージャが続けて実行されるよう、この2つのプ
ロシージャをもう1つ別に作成するプロシージャの中に統合します。

```
Sub TOTAL()
    Call ファイル名一覧表作成
    Call 担当者別残業時間一覧
    MsgBox "完了しました"
End Sub
```

　Callという単語の後ろに、実行するプロシージャ名をコピペなどで入力します。Callステートメントといって、ほかのプロシージャを呼び出す単語です。

　この「TOTAL」というプロシージャを実行すると、今作った「ファイル名一覧表」と「担当者別残業時間一覧」の2つのプロシージャが順番に実行され、終了時に「完了しました」とメッセージが出ます。

　「完了しました」というメッセージボックス表示の処理はなくても問題はないのですが、一瞬で処理が終わると、本当に終わったのかどうかわからないということもよくあります。このように明確に「完了しました」と出ると、処理がすべて終わったことがわかりやすくなるという配慮です。

　このように、プロシージャはいくつかに分けて作成し、最後に統合するという作り方がスムーズです。あまり1つのプロシージャを長くしてしまうと、あとでメンテナンスがしづらくなってしまいます。

1クリックですべて完了できるボタンを設置する

　この「TOTAL」プロシージャを実行するためのボタンをシート上に設置して、1クリックですべて作業完了できる状態にしてみましょう。

　[開発]タブの[挿入]をクリックして出てくる[フォームコントロール]の中から、「ボタン」をクリックします。

　シート上にマウスドラッグで描画する要領でボタンを作ります。マウスのクリックを離すと同時に、[マクロの登録]画面が出てきます。「マクロ名」としてこのブックに作られたプロシージャ名が出てくるので、その中から「TOTAL」を選んで[OK]をクリックします。

　すると、このようにシート上にボタンができます。これをクリックすると、TOTALプロシージャが実行されます。

	A	B	C	D	E	F
1						
2						
3	フォルダID	202606				
4				ボタン 1		
5	担当者名	残業時間				
6						
7						
8						
9						
10						
11						
12						
13						
14						
15						

「完了しました」というメッセージボックスが出ます。

[OK] をクリックして、全作業完了です。

239

	A	B	C	D	E	F
1						
2						
3	フォルダID	202606				
4				ボタン 1		
5	担当者名	残業時間				
6	タンク 松本	19:30				
7	佐藤 佳	21:00				
8	内山 ボンバイエ	14:00				
9	吉田 拳	16:00				
10	山岡 誠一	0:00				
11	松浦 誠	24:30				
12	氷室 裕	18:00				
13	熊澤 聡	17:00				
14	遠藤 斉	17:30				
15	鹿島 直美	21:30				
16						
17						

　これで、全ブックを開いては処理して閉じる作業が1クリックで完了できる自動化ツール一式が完成しました。面倒な作業を自動化するツールを作るとは、こういうことです。

　最終的には、1つの標準モジュール上に、このように3つのプロシージャを作りました。

```
(General)                                              ▼  (Declarations)

    Option Explicit

    Private Sub ファイル名一覧表作成()
        Application.ScreenUpdating = False
        Dim i As Long, bookname As String
        With Sheets("ファイル名一覧表")
            .Columns(1).ClearContents
            bookname = Dir(ThisWorkbook.Path & "¥" & _
            Sheets("残業時間一覧").Range("B3") & "_勤怠管理表¥*")
            Do While bookname <> ""
                i = i + 1
                .Cells(i, 1) = bookname
                bookname = Dir()
            Loop
        End With
    End Sub

    Private Sub 担当者別残業時間一覧()
        Application.ScreenUpdating = False
        Dim i As Long, r As Long
        Dim f As Worksheet
        Set f = Sheets("ファイル名一覧表")
        With Sheets("残業時間一覧")
            .Range("A5").CurrentRegion.Offset(1, 0).ClearContents
            For i = 1 To f.Cells(f.Rows.Count, 1).End(xlUp).Row
                r = .Cells(.Rows.Count, 1).End(xlUp).Row + 1
                Workbooks.Open ThisWorkbook.Path & "¥" & _
                    .Range("B3") & "_勤怠管理表¥" & f.Cells(i, 1)
                        .Cells(r, 1) = Range("D1")
                        .Cells(r, 2) = Range("G38")
                    ActiveWorkbook.Close savechanges:=False
            Next
        End With
    End Sub

    Sub TOTAL()
        Call ファイル名一覧表作成
        Call 担当者別残業時間一覧
        MsgBox "完了しました"
    End Sub
```

　このマクロで実際にユーザーが直接実行するプロシージャは「TOTAL」
だけです。

　マクロの実行は［開発］タブの［マクロ］からでもできるのですが、ユー
ザーによる誤操作を防ぐため、念のためそこに「TOTAL」以外のプロシー

ジャ名を表示させないようにすることができます。そのために、「TOTAL」以外のプロシージャについては、Subの手前に"Private"という単語を付け加えています。Subの手前にPrivateと書かれたプロシージャは、[開発] タブの [マクロ] をクリックして出てくるマクロ一覧には出なくなります。

▌複数のブックを開いた状態で操作するには

　本章では、「ブックを開く」「ブックを閉じる」という処理について、「Workbooks.Open」というメソッド文で指定したブックを開き、「ActiveWorkbook.Close」というメソッド文でブックを閉じる方法を紹介しました。これは、かんたんな書き方から順を追って説明するためです。ブックを1つ開いては閉じて、1つ開いては閉じて……を繰り返す場合は、これでも何とかなります。しかし、このような「開いたブックがアクティブ状態である」ということに依存した書き方では、さらにほかのブックも開いて、同時に複数のブックが開いた状態でそれぞれを操作しようとすると、もうわけがわからなくなってしまいます。その問題を解決する方法として、「開いたブックを変数に入れて操作する」という考え方を紹介します。

　開いたブックを変数に入れるには、Setという単語を使います。次のプロシージャの④が、その処理です。ここでは、このプロシージャを実行するブックと同じ保存場所 (ThisWorkbook.Path) にある「data」というフォルダの中に入っているブックを、「wb」という変数に入れながら開く、という処理を例に説明します。

```
Sub sample()
    Dim wbName As String ←①
    Dim wb As Workbook ←②
    wbName = Dir(ThisWorkbook.Path & "¥data¥*") ←③
    Set wb = Workbooks.Open(ThisWorkbook.Path & "¥data¥" & wbName) ←④
    wb.Close savechanges:=False ←⑤
End Sub
```

　①では、開くブックの名前を入れるための変数を用意しています。ここでは、wbNameという変数にしました。

②では、開いたブックを指定するニックネームとして使う変数を用意しています。ここでは、wbという変数にしました。開いたブックを格納するための変数、ということになります。ブックとして扱う変数なので、As Workbookという型指定になっています。

③では、Dir関数によって開きたいブックの名前を、変数wbNameに入れています。

④では、Workbooks.Openによって開いたブックを、変数wbに入れています。

SetはP.234でも紹介しましたが、セルやシート、ブックなどの「オブジェクト」を変数に入れる際に使われる、「ステートメント」という種類の単語です。

ブックを開いてそのまま変数に入れるには、「Workbooks.Openに続く、開くブックの指定を、このように括弧の中に書く」という形になります。これで、括弧内で指定したファイルを開いて、変数wbに入れることができます。

こうして、開いたブックを変数に入れていけば、複数のブックを同時に開いている状態でも、操作したいブックそれぞれの指定がやりやすくなるというわけです。

ここではwbという変数で、開いたブックを指定することができるようになりました。たとえば、⑤のように「wb.Close」という書き方で、開いたブックを閉じるなどの処理ができるようになるというわけです。

「毎月同じようなファイルを何個も作る単純作業がもういやだ!」
~ファイルの大量作成を自動化する

全社員用の勤怠管理ファイルを自動生成するには

　先ほどは、すでに作成されている全員分の勤怠管理ファイルからそれぞれのデータを1つのシートに集約するという事例を通して、複数ファイルの巡回処理の自動化についての考え方を説明しました。では今度は、その「全員分の勤怠管理ファイルを作る」という作業も自動化したケースを通して、「大量ファイルの作成」はどのように自動化するかを見ていきましょう。これも事例として設計や仕組みづくりの考え方の参考にしてください。

　このケースでは、全員分の勤怠管理ファイルを自動生成するマクロを実行するファイルには2つのシートを用意しました。

- "雛形"シート

→このシートを雛形として、次々にシートコピーを繰り返し、全員分の新しい
　勤怠管理ファイルを作ります。

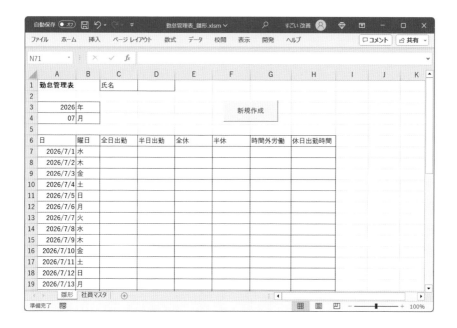

・"社員マスタ"シート

→ここに名前が入力された社員分の勤怠管理ファイルが作成されます。

　このように、まずExcelのシート上に、ファイル名に使う社員名の一覧表を入力しておきます。社員の入退社があったら、ここを変更すればよくなります。そして、「このシートのA列2行めから最終行までFor Next構文で1つずつ、セルの値をファイル名に使いながらファイルのコピーを繰り返していくことで、全員分のファイルを作る」という発想で、プロシージャを作ります。

　このプロシージャが、「雛形」シート上に作った「新規作成」ボタンに登録されています。「雛形」シートのA3セルとA4セルに、それぞれ作成の対象となる年と月（ここでは、A3セルに2026、A4セルに7）を入力したうえでこのボタンをクリックすると、プロシージャが実行され、その結果「202607_勤怠管理表」というフォルダが作られます。

そして、そのフォルダの中に、「社員マスタ」シートに名前がある全員分のファイルが作られます。

名前
📁 202606_勤怠管理表
📁 202607_勤怠管理表
📊 勤怠管理表_雛形.xlsm
📊 勤怠管理表集約ファイル.xlsm

名前
📊 202607_タンク 松本.xlsx
📊 202607_遠藤 斉.xlsx
📊 202607_吉田 拳.xlsx
📊 202607_熊澤 聡.xlsx
📊 202607_佐藤 佳.xlsx
📊 202607_山岡 誠一.xlsx
📊 202607_鹿島 直美.xlsx
📊 202607_松浦 誠.xlsx
📊 202607_内山 ボンバイエ.xlsx
📊 202607_氷室 裕.xlsx

このような、大量のブックとそれをまとめるフォルダまでも、1クリックで自動的に作成できるようになります。

ブックの大量複製＝1つ雛形シートを作っておき、そのシートを別ブックとしてコピーする処理を繰り返すという発想

そのためのプロシージャがこちらです。がんばって読み解いてみましょう。

```
Option Explicit

Sub 新規勤怠管理作成()
    Application.ScreenUpdating = False
    Dim i As Long, ID As Long    ←①
    Dim m As Worksheet    ←②
    Set m = Sheets("社員マスタ")    ←③
    With Sheets("雛形")
        ID = .Range("A3") & Format(.Range("A4"), "00")    ←④
        MkDir ThisWorkbook.Path & "¥" & ID & "_勤怠管理表"    ←⑤
        For i = 2 To m.Cells(m.Rows.Count, 1).End(xlUp).Row    ←⑥
            .Range("D1") = m.Cells(i, 1)    ←⑦
            .Copy    ←⑧
            ActiveWorkbook.SaveAs ThisWorkbook.Path & "¥" _
                & ID & "_勤怠管理表¥" _
                    & ID & "_" & Range("D1") & ".xlsx"    ←⑨
            ActiveWorkbook.Close savechanges:=True    ←⑩
        Next
    End With
    MsgBox "完了しました"
End Sub
```

①では、カウンター変数iと、年月を表す6桁数値を格納する変数IDを宣言しています。

②では、「社員マスタ」シートの短縮名称に使う変数mを宣言しています。

③では、変数mを「社員マスタ」シートのニックネームとして設定しています。

④では、A3セルの値（年）とA4セルの値（月）をつなげた「202607」などの年月を表す6ケタ数値を変数IDに入れています。Format関数が使われていますが、これはワークシート上ではTEXT関数に相当する関数です。

⑤では、フォルダを作ります。フォルダを作るには、Mkdirステートメントを使います（P.38を参照）。今回の場合、

・フォルダを作りたい場所　→　ThisWorkbook.Path

・作りたいフォルダの名前　→　ID & "_勤怠管理表"

という指定になります。

　A3セルに2026、A4セルに7が入った状態でこのプロシージャを実行した場合、IDという変数には「202607」という値が入っています。なので、作りたいフォルダの名前は「202607_勤怠管理表」ということになります。つなげると、

　「このブックのフォルダの中に、202607_勤怠管理表というフォルダを作る」

という処理をおこなうことになります。ただし、すでに同名のフォルダがある場合はエラーを起こして処理がストップするので、その点は注意が必要です。

　⑥は、「社員マスタ」シートA列の2行めから最終行まで順番に、セルの値を使いながら、シートのコピー処理を繰り返すFor Next構文です。繰り返すのは、次の⑦、⑧、⑨の処理です。

　⑦は、「雛形」シートのD1セル（社員名を入力する欄）に、「社員マスタ」シートA列の値、つまり社員名を入力しています。

⑧は「.Copy」だけ書かれています。これは、With構文のあとに指定されたSheets("雛形")をオブジェクトとするコピーメソッドだと解釈できます。

このように、シートに対してCopyメソッドが引数なしでメソッド単体で書かれた場合は、次のような処理になります。手作業でやるとどのような操作になるかで説明します。

❶ [雛形]シートを右クリック→移動またはコピーする。
❷ [移動先ブック名]で[(新しいブック)]を選択する。
❸ [コピーを作成する]にチェックを入れて[OK]をクリックする。

手作業でこの操作をすると、コピーされたシートは元のブックの中で複製されるのではなく、独立した新たな別のブックとして作られることになります。

一方、このように別ブックとして保存するのではなく、同一ブック内でシートを複製する処理の場合は、Copyメソッドのあとにafterかbeforeという引数を使って、複製されたシートの位置まで指定する必要があります（P.141を参照）。

⑨では、別ブックとして切り離されたブックを「名前をつけて保存」しています。「名前をつけて保存」という処理には、SaveAsメソッドを使います。

⑩では、ブックを閉じています。Closeメソッドに使える引数savechangesの答えにTrueを指定すると、変更して閉じるということになり、わざわざ「変更を保存しますか」というアラートが出なくなり、マクロの動作がスムーズになります。

以上のような要領で、1つ雛形シートを作っておき、そのシートを別ブックとしてコピーする処理を繰り返すことで、大量のファイルを作り出す作業を自動化するのです。

本章では、勤怠管理という業務を例に、複数ファイルを扱わなければならないExcel作業をマクロを使って自動化してラクをする考え方をご紹介しました。本来、人事や経理など会社の基幹業務においては、できれば「Excelに必要事項を入力して提出してもらう」といったような方法から脱却して、専用のサービスやシステムを導入するのが業務改善においては理想です。しかしながら、そのような理想の実現が難しく、なんとかExcelで乗り越えていかねばならない現場が多いのも現実です。そうしたケースで、VBAによるツールで大きな成果を上げている実例は少なくありません。

第 7 章

大量の書類を
一括して処理する

請求書の作成を
自動化するには

「Excelで請求書や納品書を毎月作ってるんですけど、件数が多くて大変で……」

そんなご相談をよくいただきます。ここでは、請求書や納品書など、決まった書式ながら内容が異なるA4で1枚の書類をまとめてたくさん作らなければならないケースを通して、1枚ずつのシートのコピー、印刷、PDF保存など、大量の書類処理を自動化する方法を身につけましょう。また、「不要なシートはすべて削除したい」という場合に、「どのように削除するシートと残すシートを判定するか」「どのような順番で処理していけばうまくいくか」といったロジックの考え方を紹介します。

処理を手作業でやるとどうなるか

今回の事例で実現したいのは、次のようなケースの自動化です。「●請求台帳」というシートと、「●請求書」という2つのシートがあります。「●請求台帳」シートは、1行に1件の請求書の内容が入力されているデータベース形式の表になっています。

◎「●請求台帳」シート

	A	B	C	D	E	F	G	H	I
2	No	発行	クライアント名	請求 発行日付	振込期限	摘要1	数量1	単価1 (税抜)	請求小計 (税込)
3	1	1	A	2026/10/31	2026/11/30	コンサルティング費用10月分	1	700,000	770,000
4	2		B	2026/11/1	2026/12/28	ヘルプデスク業務 6か月分	6	20,000	132,000
5	3	1	C	2026/11/2	2026/11/30	開発要員2人月分	2	600,000	1,320,000
6	4	1	D	2026/11/3	2026/11/15	コンサルティング費用10月分	1	700,000	770,000
7	5		E	2026/11/4	2026/12/28	顧客管理ファイル開発	1	100,000	110,000
8	6	1	F	2026/11/5	2026/11/30	コンサルティング費用10月分	1	700,000	770,000
9	7		G	2026/11/6	2026/12/28	ヘルプデスク業務 6か月分	6	20,000	132,000
10	8	1	H	2026/11/7	2026/11/30	開発要員2人月分	2	600,000	1,320,000
11	9	1	I	2026/11/8	2026/11/15	コンサルティング費用10月分	1	700,000	770,000
12	10	1	J	2026/11/9	2026/12/28	顧客管理ファイル開発	1	100,000	110,000
13	11		K	2026/11/10	2026/11/30	コンサルティング費用10月分	1	700,000	770,000
14	12		L	2026/11/11	2026/12/28	ヘルプデスク業務 6か月分	6	20,000	132,000
15	13	1	M	2026/11/12	2026/11/30	開発要員2人月分	2	600,000	1,320,000
16	14		N	2026/11/13	2026/11/15	コンサルティング費用10月分	1	700,000	770,000
17	15	1	O	2026/11/14	2026/12/28	顧客管理ファイル開発	1	100,000	110,000
18	16		P	2026/11/15	2026/11/30	コンサルティング費用10月分	1	700,000	770,000

　「●請求書」シートの各項目のセルには、J1セルを検索値として参照するVLOOKUP関数が入っています。「●請求書」シートのJ1セルに請求書番号（「●請求台帳」シートのA列の数値）を入力すると、その番号の請求書が完成するという仕組みになっています。

◎「●請求書」シート

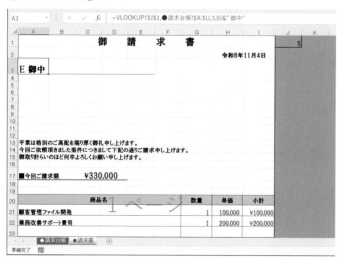

255

この図ではA3セルを選択していますが、数式バーを見ると、J1セルを第一引数の検索値としたVLOOKUP関数が入っていることがわかります。

　この「●請求台帳」シートには、いま20件の請求書データがあります。この請求書作成作業をすべて手作業で処理しようとすると、次の3つの手順を何度も繰り返さなければなりません。たとえば、「●請求台帳」シートの3行め、A社宛の請求書を作成する場合はこうなります。

❶ 「●請求書」シートをコピーする。

　このとき、コピーされたシートは一番右端に来るように設定したいとします。

❷ コピーしてできたシートの名前を顧客名に変更する。

　顧客名は「●請求台帳」シートのC列の値を使います。3行めであれば「A」になります。

❸ そのシートのJ1セルに、請求書番号を入力する。

　請求書番号には、「●請求台帳」シートのA列の値を使います。3行めであれば「1」になります。

　これを「●請求台帳」シートの3行めのデータから順に、延々と繰り返すわけです。とてもではありませんが、手作業ではやってられません。この作業の自動化を実現するプロシージャづくりを通して、シートの追加や削除を自動化するにはどのような発想や注意点が必要なのか、考え方を解説していきます。

■ 作業を自動化するプロシージャを解読する

　では、この作業を自動化するプロシージャを解読していきましょう。全体像をざっくり見てみると、「●請求台帳」シートの一括指定をおこなうWith構文の中に、同シートの3行めから最終行までを連続処理していくFor Next構文、さらにその中に各行の請求書を発行するかどうかを判定するIf Then構文が入っています。

```
Sub 請求書作成()
    Application.ScreenUpdating = False

    Call 請求書削除   '初期化  ←─①

    Dim i As Long
    With Sheets("●請求台帳")  ←─②
        For i = 3 To .Cells(.Rows.Count, 1).End(xlUp).Row  ←─③
            If .Cells(i, 2) <> "" Then  ←─④
                Sheets("●請求書").Copy after:=Sheets(Sheets.Count)  ←─⑤
                ActiveSheet.Name = .Cells(i, 3)  ←─⑥
                Range("J1") = .Cells(i, 1)  ←─⑦
            End If
        Next
    End With
End Sub
```

①では、Callステートメントで、別途作られている「請求書削除」という
プロシージャを呼び出しています。この「請求書削除」というプロシージャ
については後ほど紹介しますが、コメントにあるとおり、ここで"初期化"
をおこなうためのものです。

基本的な前提として、Excelでは同じ名前のシートを2つ以上作ることは
できません。たとえば、「A」というシートが残っている状態で、また「A」
というシートを作る処理を実行してしまうと、その時点でエラーが起き
て、マクロの実行が止まってしまいます。その状態を回避するため、あら
かじめ「●請求台帳」と「●請求書」の2つ以外のシートをすべて削除し、
この2つのシートだけが残っている状態にする、という処理をこの段階で
おこなっているのです。

②のプロシージャでは、「●請求台帳」シートのセルを指定することが最
も多いので、このシート指定を一括しておこなうためのWith構文を用意し
ています。

③は、「●請求台帳」シートの3行めから最終行までを連続処理していく
ためのFor Next構文です。

④では、「B列のセルが空白でなかったら、以下の処理をおこなう」とい
うIf Then構文が書かれています。B列のセルが空白だったら何もしないわ
けなので、ElseがないとIf Then構文のパターンです。

⑤では、「●請求書」シートをCopyメソッドでコピーしています。そして、

afterという引数による指定によって、コピーされたシートは一番右端に来るようにしています（P.144を参照）。

　⑥では、ピリオドは「の」、イコールは「を」と訳すコツをおさらいしましょう。⑤のステップでコピーされたシートは必ずアクティブであるという状態を利用して、そのActiveSheetというオブジェクト「の」Name（名前）プロパティの値「を」右辺の値、つまり「●請求台帳」シートの3列め、つまりC列のセルの値にする、という処理です。この処理で、シート名をクライアント名に変更しています。

　⑦は、この時点でのアクティブシートのJ1セルの値を、「●請求台帳」シートのA列の値にする、という処理です。この行を実行する時点でのアクティブシートのセルを指定するわけですから、このRange("J1")についてはシート指定をしなくてもきちんと意図どおり処理が進む、ということです。

　⑤、⑥、⑦で、「●請求書」シートがコピーされてできたシートが一番右端に配置され、そのシート名が変更され、そのシートのJ1セルの値が変更されて1つの請求書シートができる、という処理がおこなわれます。この処理を、③のFor Next構文で繰り返している構造になっているわけです。

　これを実行すると、次のように「●請求台帳」シートのデータで、B列が空白ではない行の請求書のシートが作成される結果になります。これが、「複数シートの連続作成・コピー」を自動化する考え方の1つです。

各シートを連続で印刷する

　さきほどのプロシージャでは、それぞれの請求書のシートがコピーされながらできただけでしたが、実務においては当然、そのままでは書類として機能を果たせません。紙に印刷するなり、PDFにしたりするわけです。では、このように出来上がったシートをまとめて印刷したり、PDFファイルとして保存するにはどうすればいいでしょうか。

　まず印刷はとてもシンプルで、シートに対してPrintOutメソッドを実行するだけです。たとえば、次のようなプロシージャになります。

```
Sub 請求書シート印刷()
    Application.ScreenUpdating = False
    Dim i As Long
    For i = 3 To Sheets.Count ←①
        Sheets(i).PrintOut ←②
    Next
End Sub
```

①は、左から3つめのシートから一番右端のシートまで連続印刷させるためのFor Next構文です。

②は、シートの順番指定に変数iを使いながら、各シートをPrintOutメソッドで印刷させる処理です。

各シートをPDFで保存する

各シートをPDFとして出力したい場合は、各シートに対して、Export AsFixedFormatというメソッドを使います。たとえば、各シートをPDF出力して所定のフォルダにまとめたい場合は、次のようなプロシージャを書きます。

```
Sub 請求書シートPDF出力()
    Application.ScreenUpdating = False
    Dim i As Long
    Dim Path_Name As String←─①
    For i = 3 To Sheets.Count ←─②
        Path_Name = ThisWorkbook.Path & _   ←─③
                    "¥" & Sheets(i).Name & _
                    "様ご請求書.pdf"
        Sheets(i).ExportAsFixedFormat Type:=xlTypePDF, _  ←─④
                                Filename:=Path_Name
    Next
End Sub
```

①では、出力するPDFファイルの保存場所とファイル名を入れるための変数を宣言しています。変数名はなんでもいいのですが、ここでは「Path_Name」という変数名にしてみました。

②は、左から3つめのシートから一番右端のシートまで処理を繰り返すためのFor Next構文です。

③では、変数Path_Nameに、出力するファイルの保存場所と、ファイル名を指定する文字列（ThisWorkbook.Path & "\" & Sheets(i).Name & "様ご請求書.pdf"）を入れています。

④で各シートにPDF出力をおこなうExportAsFixedFormatメソッドでは、このように「Type」と「Filename」という2つの引数で処理内容を指定します。

シートを削除する
ロジックの考え方

複数シートの連続削除は「順番」が大事

　では次に、複数あるシートの中で「不要なシート」をすべて削除する方法を考えてみましょう。このようなケースでは、削除する「順番」がとても大事になります。

　まず、削除するシートをどのように判定するか。いろいろなアイデアが考えられますが、このケースでは、「残したいシートの目印」としてシート名の先頭に「●」をつけています。

　残したいシートである「●請求台帳」と「●請求書」の2つのシート名は、先頭に「●」マークがついています。そして、「もしもシート名が●から始まっていたら、削除しない。そうじゃない場合は、削除する」というルールで処理します。

　以上の処理をどのように書くか、実際のプロシージャを解読しながら確認していきましょう。

```
Sub 請求書削除()
    Application.ScreenUpdating = False
    Application.DisplayAlerts = False ←①

    Dim i As Long ←②
    For i = Sheets.Count To 1 Step -1 ←③
        If Sheets(i).Name Like "●*" Then ←④
        Else
            Sheets(i).Delete ←⑤
        End If
    Next
End Sub
```

　①は、シート削除処理に伴うアラート表示が出なくなるようにする処理です。（P.143を参照）。

　②では、シート指定に使うための変数iを、整数型（Long型）で宣言して

います。

③は、右端のシートから順番に1枚ずつ、シート名の判定と削除を繰り返すFor Next構文です。通常、For Next構文でForの後ろに書かれたカウンター変数の値は、通常は初期値から終了値まで1ずつ増えていきます。しかし、このように「Step」というオプションを使うと、Stepのあとに書いた数字が足されるようになります。たとえば「Step2」と書けば、変数の値は初期値から終了値まで2ずつ増えていくわけです。ですから、「Step-1」の場合、変数の値は初期値から終了値まで1ずつ減っていくことになります。

④は、シート名が「●」という文字から始まっていたら何もせず、そうでない場合はそのシートを削除する、という条件分岐をおこなうためのIf Then構文です。このような「●」という文字から始まっていたら……というワイルドカード文字のアスタリスク(*)を使った部分一致での条件式では、このようにLikeという演算子を使います。

⑤では、シートの削除をおこないます。

なぜ、ここでは1枚めのシートから順に……つまり「左から右へ」ではなく、「右から左へ」という順序にしているのでしょうか。その理由を考えてみましょう。

左から順に進めていく場合のプロシージャは、次のようなものになります。

```
Sub 請求書削除_()
    Application.ScreenUpdating = False
    Application.DisplayAlerts = False

    Dim i As Long
    For i = 1 To Sheets.Count
        If Sheets(i).Name Like "●*" Then
        Else
            Sheets(i).Delete
        End If
    Next
End Sub
```

先ほどのFor Next構文の初期値と終了値がお互いに入れ替わっており、「Step-1」の表記もありませんから、変数iの値は1からスタートして2、3……と変わっていきます。ですから、処理されるシートもSheets(1)から順に、Sheets(2)、Sheets(3)……という順に、つまり一番左側のシートから始まってシート名の判定と削除が繰り返されていくわけです。

これを、次のようにシートが全部で12枚ある状態で実行してみます。

すると、「インデックスが有効範囲にありません」というエラーメッセージが出て、止まってしまいます。そのメッセージ画面の「デバッグ」ボタンをクリックすると、次のような状態になっています。

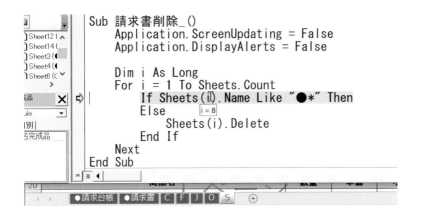

まずシートタブの数を数えてみると、7枚になっていることがわかりますね。最初は12枚ありましたから、5枚は削除されたわけです。

VBEのプロシージャを見てみましょう。ステップイン状態になっているので、変数iの上にカーソルをあてると変数iに入っている値が確認できま

すが、値は「8」になっています。つまり、「この時点ではシートは7枚しかないのに、8枚めのシートを指定しようとしているけど、8枚めのシートなんてありません」ということで、「インデックスが有効範囲にありません」というエラーが出たのです。

　では、なぜそんなことになってしまったのでしょうか。

　この問題は、アルゴリズム（物事がうまくいくための手順・順番）の理解について大変重要な示唆に富んでいるので、1つずつ丁寧に読み解いていきます。ここでは、次のことの重要性を理解していきましょう。

- ・ステップイン実行によって変数の値がどのように変化するかを確認する
- ・その結果、どのような処理がおこなわれるか、なぜエラーが起きるかを確認する

　このようなケースで、変数の値がどう変化するか、またSheets.Countがどのような値になっているかなどを確認するための代表的な手段が、「ステップイン」と「イミディエイトウィンドウ」の2つです。どちらも押さえておきたい大事な方法です。

■ ステップインでおかしくなってしまう原因を確認する

　まずは、ステップインからです。このプロシージャを F8 キーによるステップインで1行ずつ実行しながら、どこでどのようにおかしくなってしまうのかを確認してみましょう。ここではあえて、図を使わないで、文字のみで説明します。文章でプログラムの動きをイメージできるようになることも大事な練習です。

　「For i=1 to Sheets.Count」という場合、For Next構文の変数iの値は、ループのたびに1、2、3……と変化していきますね。終了値のSheets.Countの値は、最初はプロシージャを実行開始した時点でのシート数、先ほどの例では12になっています。このSheets.Countの値は、シートを1つ削除する処理が実行されるたびに、1ずつ小さくなっていくわけです。このような、変

数iやSheets.Countの値は、ステップイン実行中にカーソルをその文字の上に持ってくることで確認できるのでしたね。

変数が「1」と「2」の段階……つまり左から1枚めと2枚めのシートへの処理については、シート名が「●」で始まっていますから、「何もしない」ということになります。ところが、変数が「3」の時、つまり左から3枚めのシートの処理では、シート名が「●」で始まっていないので、シートが削除されます。すると、この時点で、このFor Next構文の終了値Sheets.Countの値は、1つ減って「11」になるわけです。

さらに、次のループでは、変数iは4になるわけですが……「さっきまで左から4枚めだったシート」が、「さっきまで3枚めにあったシート」が削除されたことによって1つ詰まって、3枚めの位置に来ているわけです。もうこの段階で、この順番による処理がうまくいかないことは明らかです。この時点で、4枚めの位置にあるシートは削除されますが、3枚めにあるシートは残ったままで、さらにSheets.Countの値も1つ小さくなって10になります。次は、変数iの値が5になり、5枚めのシートは削除されますが、その時点で3枚めと4枚めにあったシートは残ったまま……と、以下は同じことが繰り返されます。そして最後には、変数iの値がSheets.Countの値を上回ってしまい、エラーが起きてマクロが止まってしまうのです。

この問題の原因は、変数iと「Sheets.Count」、それぞれの値がどのように変化していくかを確認することで特定できるものです。ではどうすればいいかという解決策の1つが、右端のシートから順番に処理していく、P.261で紹介したプロシージャというわけです。

このように、作成したプロシージャの動作確認、実行結果の確認において、「実行したら変数の値はどう変わっていくのか」「この処理を実行したらどうなるのか」などを確認することが大変重要になります。また、実行した結果、エラーメッセージが出てマクロが止まってしまった場合の修正対応や、想定どおりにならなかった場合の原因を調査することも頻繁にあります。このようなエラーの修正対応のことを、「デバッグ」といいます。

デバッグや動作確認で「イミディエイトウィンドウ」を使いこなす

　先ほど解説したステップインによるデバッグでは、1つ問題があります。カーソルを確認したい対象の上にその都度持ってくる必要があることです。これは、場合によっては効率がいいとはいえません。

　そこで便利なのが、「イミディエイトウィンドウ」です。これを使うと、変数にどんな値が入ったかをすべて書き出すことができます。どんなことができるかを試してみましょう。さっそく新規でExcelを立ち上げて、実際に操作してみてください。

　まずは、イミディエイトウィンドウを表示させるショートカットを覚えてしまいましょう。VBEを表示している状態で、

[Ctrl] + [G]

を押すと、以下のように「イミディエイト」というウィンドウが現れます。これがイミディエイトウィンドウです。

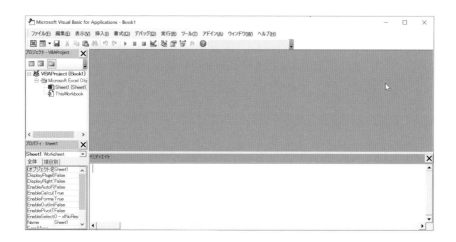

イミディエイト（immediate）とは「直接の」「即座の」といった意味の形容詞です。イミディエイトウィンドウとは、その名のとおり、ここで書いた処理をすぐに実行できたり、変数や式の結果などの「値」を確認したり、変数の値を設定したりできるなど、とにかくデバッグ作業中に大変重宝するツールなのです。いくつかの例で「どんなことができるものなのか」をまず見てみましょう。

「変数の値はどのように変わっていくのか」を把握する

P.261で紹介した、うまくいかなかった「シート削除」のプロシージャを例に説明します。

Forの後の変数iの値が1、2、3、4……と1ずつ増えながら、各シートを削除するたび「Sheets.Count」で取得される値は12、11、10……と減っていくという「値」の変化を確認する場合。ややこしいですよね。F8キーを押して1行ずつ確認するステップイン実行でも、実行中に変数iの値やSheets.Countの取得値がその時点でどうなっているかは、それらの文字の上にマウスカーソルを合わせることによって確認することができます。しかし、この方法では、その値の推移を把握するのが大変です。

そこで、次のように変数の値の変化を一覧化できたら、もっとわかりやすくなりますね。

```
イミディエイト
i:1→Sheets.Count:12
i:2→Sheets.Count:12
i:3→Sheets.Count:11
i:4→Sheets.Count:10
i:5→Sheets.Count:9
i:6→Sheets.Count:8
i:7→Sheets.Count:7
i:8
```

このように、プロシージャの実行中に変数などの値がどうなっていたのかを書き出せる場所が、イミディエイトウィンドウなのです。そして、こ

のような時に使うのが

```
Debug.Print
```

というメソッド文です。まずは、かんたんな例でDebug.Printの使い方を見てみましょう。

　次のプロシージャを実行すると、イミディエイトウィンドウに変数iに入った値が出力されます。

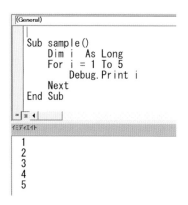

　つまり、次の書き方で、「対象」の値（あたい）が1つ1つ改行されながらイミディエイトウィンドウに書き出されるわけです。

【書式】

```
Debug.Print 対象
```

　また、次のように、1つずつ改行させずに、同じ行に書き出すこともできます。

```
Sub sample()
    Dim i As Long
    For i = 1 To 5
        Debug.Print i;|
    Next
End Sub
```

イミディエイト

1 2 3 4 5

　プロシージャを見てみると、変数iの後ろにセミコロン（;）が入力されていますね。

```
Debug.Print 対象 ;
```

　このように、対象の後にセミコロンを入力すると、次の出力で改行させないようにできるのです。

「実験と確認」がイミディエイトウィンドウを使う目的

　ではあらためて、先ほどのエラーが起きた「シート削除」のプロシージャにおいて、変数iとSheets.Countの取得値、つまりシート数がどのようになっていたかをイミディエイトウィンドウに書き出すプロシージャを見てみましょう。

```
Sub 請求書削除()
    Application.ScreenUpdating = False
    Application.DisplayAlerts = False

    Dim i As Long
    For i = 1 To Sheets.Count
        Debug.Print "iが" & i;
        If Sheets(i).Name Like "●*" Then
        Else
            Sheets(i).Delete
        End If
        Debug.Print "の時、Sheets.Countは" & Sheets.Count
    Next
End Sub
```

イミディエイト

```
iが2の時、Sheets.Countは12
iが3の時、Sheets.Countは11
iが4の時、Sheets.Countは10
iが5の時、Sheets.Countは9
iが6の時、Sheets.Countは8
iが7の時、Sheets.Countは7
iが8
```

　このプロシージャを実行した結果、エラーが起きた時点で、イミディエイトウィンドウにはこのように出力されています。ここでは、「変数iが2の時、Sheets.Countの値は12になっている」といったような状態が日本語としてわかりやすくなるように、「対象」の部分を工夫しています。

　あらためて、変数iは、シートの左からの位置順を示しています。たとえば、変数iが3の時は、3枚めのシートについて判定・処理をおこなっているということです。このイミディエイトウィンドウを見てみると、変数iが1、2の時はシートの削除は実行されませんから、Sheets.Countの値も12のまま変わりません。しかし、変数iが3になると、3枚めのシートはその名前が「●」から始まっていませんから、削除されることになります。その結果、シート数が1枚減るので、Sheets.Countの値も1減って11になっています。これを繰り返していくと、変数iが8になった時点で、シート数は7しかないという状態になります。

　前述しましたが、「シートが7つしかないのに、8枚めのシートを指定しようとしても、そんなものはありません」ということで、「インデックスが有効範囲にありません」というエラーメッセージとともにプロシージャが止まってしまったわけです。

1つの例ですが、このように複数の変数などの値がどのように変わっていくかを一覧化して確認できるのが、イミディエイトウィンドウを使うメリットです。このあと、実務においてイミディエイトウィンドウがどのように使われているかを紹介しますが、イミディエイトウィンドウを活用する目的の核心は「実験と確認」です。

■ 値の確認はイミディエイトウィンドウならすぐできる

　これから紹介する作業は、イミディエイトウィンドウを使わなくても、ほかの方法で目的を達することができるものばかりです。しかし、イミディエイトウィンドウを使うことによって、若干手間がなくなるメリットが生まれます。

　たとえば、データの最終行数を取得する書き方として、本書では以下を紹介しました。

```
Cells(Rows.Count, 1).End(xlUp).Row
```

　これが実際にどんな数字になっているかを確認したいとします。

　イミディエイトウィンドウを使わない方法だと、たとえば標準モジュールに次のようにMsgboxでその値を表示させるプロシージャを用意して実行する方法などが考えられます。

```
Sub sample()
    Msgbox Cells(Rows.Count, 1).End(xlUp).Row
End Sub
```

　ほかにもいろいろやり方はありますが、要は「わざわざプロシージャを作って実行しなければならない」という手間がかかってしまいます。

　ところがイミディエイトウィンドウでは、次のように入力することで、プロシージャを実行しなくても手軽に値が確認できるのです。

```
? Cells(Rows.Count, 1).End(xlUp).Row
```

　このように先頭に「?」マーク、その後ろに値を確認したい対象を入力して Enter を押すと、次の行にその対象の値が出力されます。

```
イミディエイト
? Cells(Rows.Count, 1).End(xlUp).Row
 20
```

　ほかにも、以下のような応用ができます。

　・?Range("A1")と入力して Enter　　　→　A1セルの値が出てくる
　・?sheets.Countと入力して Enter　　　→　そのブックのシート数が出てくる

COLUMN

なぜ、ThisWorkbook.Pathと入力しても何も出てこないのか

「?ThisWorkbook.Pathと入力して Enter を押しても、イミディエイトウィンドウに何も出てこないんだけど……?」

こんな疑問がたまに寄せられます。どういうことなのでしょうか。

「ThisWorkbook.Path」とは、日本語に訳すと「このワークブックの保存場所」ですね。このコードを実行しているブック自身の保存場所を示す文字列を取得する処理です。その文字列が出てこないとは、どういうことでしょうか。

じつは、これはよくある問題で、かくいう私も引っかかったことがあります。この現象は、「新規ブックでまだ一度も保存していない」状態のブックで上記のコードを実行した際に起こります。つまり、そのブックはまだ一度も保存されていないわけですから、その保存場所自体がまだないということです。

P.191でも解説しましたが、Excel自動化のためのマクロを組む手順は、まず任意の場所に「マクロ実行ブック」となるExcelブックを1つ用意することから始まります。これにならえば、いきなり新規ブックを立ち上げ、一度も保存していないそのブックの標準モジュールにいきなりVBAを書くなんてことはないわけです。であれば、上記のように

```
ThisWorkbook.Path
```

の値が取れないという問題も起こらないわけです。このことからも、やはり「マクロは保存済みのブックに作る」というのが原則になります。

動作の確認もイミディエイトウィンドウならすぐできる

　値の確認と同様に、値の設定文やメソッド文など「処理」の動作確認も、
イミディエイトウィンドウでサクッとおこなうことができます。たとえば

　「Range("A1").CurrentRegion.Offset(1,0) って指定だと、どんなセル範囲
の指定になるんだろう」

と思い、確認したくなったとしましょう。こういう場合は、その範囲に対
してSelectメソッドを実行すれば実際にその範囲が選択状態になることで
確認できるわけですが、これをイミディエイトウィンドウで実行させてみ
ましょう。
　まずシンプルに、イミディエイトウィンドウに以下のように入力します。

```
range("A2").CurrentRegion.Offset(1,0).Select
```

　そして、この行のどこでもかまわないので、カーソルがある状態で
[Enter]キーを押します。すると、この処理が実行されて、該当の範囲が選択
状態になります。

　ほかにも、「range("A1")=100」のようなセルへの入力や、「sheets.Add」と
いったメソッド文の処理も、イミディエイトウィンドウに入力してその行
にカーソルがある状態で[Enter]を押すと、そのとおりに実行されます。

　ちなみに、イミディエイトウィンドウにこのような処理を入力して
[Enter]を押しても、標準モジュールなどに入力する時と異なり、先頭の文
字が大文字になるような自動変換はおこなわれません。

　このように、標準モジュールにプロシージャを用意して実行しなくても
処理の動作確認ができるのが、イミディエイトウィンドウを使うメリット
の1つです。

【応用】全シートでA1セルを表示・選択かつ 1枚めのシートを選択状態にする

　Excelファイルをだれかに送る際に、「全シートでA1セルを表示・選択か
つ1枚めのシートを選択状態にする」というお作法が重視されるケースは
多いです。イミディエイトウィンドウの活用法の1つとして、この作業を
瞬殺する方法を紹介します。

まず、普通に標準モジュールにプロシージャを作ってやろうと思った
ら、こんなプロシージャになります。

```
Sub 全シートA1セル選択()
    Application.ScreenUpdating = False
    Dim i As Long
    For i = Sheets.Count To 1 Step -1
        Sheets(i).Select
        Range("A1").Select
    Next
End Sub
```

　しかし、わざわざ標準モジュールにプロシージャを作らずとも、イミ
ディエイトウィンドウでサクッと終えることができます。
　ただ、イミディエイトウィンドウに書ける処理は1行ずつで完結です。
普通のプロシージャだとこのように複数行になるような処理をイミディエ
イトウィンドウで書くには、改行のポイントで「:」(コロン)を入力します。

イミディエイト

```
for i=sheets.Count to 1 step-1:sheets(i).select:range("A1").select:next
```

　イミディエイトウィンドウにこのように入力して、この行をクリックし
て Enter を押すと、この内容が実行されて、すべてのシートにおいてA1セ
ルが表示・選択され、かつ一番左のシートが選択された状態になります。
イミディエイトウィンドウには、こんな使い道もあることを覚えておいて
ください。

第 8 章

顧客情報の入力がしづらい、見づらい……を解決する

～ユーザーフォームの基本

なぜ、顧客データExcelは
管理しづらくなるのか?

「顧客データをExcelで管理しているのですが、たくさんの項目をシートに横方向に入力していく作業がやりづらくて。それに、電話番号などを確認したい時に、一覧性が悪くて使いづらいんです。どうにかできないでしょうか?」

こうしたご相談は、毎日のようにいただいています。多くの場合、「複数の社員でそのデータを共有して使いたい」というご要望です。システム会社さんに導入見積もりを依頼したら、10名の使用で100万ぐらいかかるとのこと……。「システムに100万円」というのは、じつは決して高い金額ではないのですが、少しの工夫と少しの我慢でその費用は大幅に削減できるどころか、完全に自作してしまえるぐらいかんたんなものであることも多いのです。

「入力しづらいシート」はこんなもの

「顧客データをExcelシートに入力する作業がやりづらい……」

そのようなご相談をいただく際、実際に入力しているシートは次のような「データベース形式」と呼ばれる、1行に1件のデータを入力していくタイプのものです。

	A	B	C	D	E	F	G	H	I
1									
2	休止	コード	漢字名称	カナ名称	区分	都道府県CD	都道府県名	企業／個人	電話番号
3									
4									
5									
6									
7									
8									

これぐらいの項目数ならいいですが、項目数が増えてくると、「シートを右にスクロールさせながら入力していくことになるので、やりづらい」ということになります。

■ データを「入力する場所」と「保存する場所」は分ける

　こうした際におすすめしたいのが、以下のような入力フォームを作ることです。

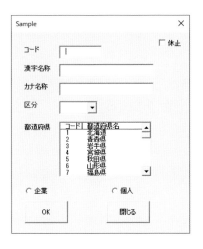

　Excelのマクロ機能を駆使すれば、このようなオリジナルの入力フォームを作ることができます。これを「ユーザーフォーム」といいます。これを使うと、入力がしやすくなるだけでなく、顧客情報をこのユーザーフォームに呼び出すことも可能になり、顧客データの確認などの際にも一覧性がよくなるという効果があります。

　入力作業はこのフォームを使っておこない、最後に[OK]ボタンをクリックすると、その内容が別途用意したExcelのシートにデータベースとして保存されていきます。

　このように、「データを入力する場所と保存する場所を分ける」というのが、データを使いやすい環境を作る第一歩になります。

自作の入力フォームを
かんたんにつくる具体的手順

　では、先ほどのような入力フォームを自分で作っていく手順を見ていきましょう。

　新しくデータベース表を作成するシートの名前は「顧客マスタ」とします。また、この「顧客マスタ」シートの項目名のセルは2行めにあるものとして、以下解説していきます。

　実際に練習する場合は、演習用ファイル「第8章演習.xls」を開いた状態で進めてください。

▍入力用パーツを配置するための土台をつくる

　まずはユーザーフォームの土台を作ります。

❶ Alt + F11 を押してVBEを起動→［挿入］→［ユーザーフォーム］を選択する。

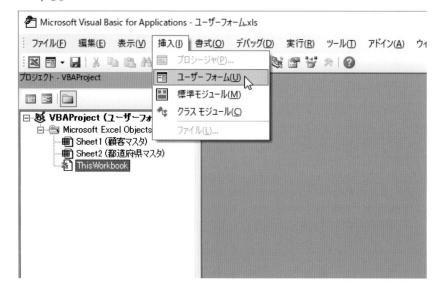

❷ 次のようにユーザーフォームが作られ、プロジェクトエクスプローラーにも
「UserForm1」というモジュールができる。

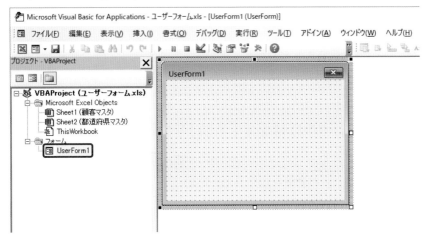

❸ ［表示］メニューから「ツールボックス」を選択する。

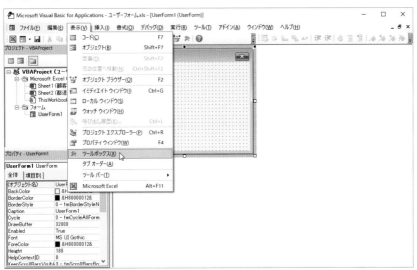

❹ 入力用の各パーツの一覧である[ツールボックス]が出てくる。

　この空白の土台に、[ツールボックス]からテキストボックスやチェックボックスなどのさまざまなパーツから、使いたいものを自由に選んで配置していくことができるわけです。そして、この各パーツのことを「コントロール」と呼びます。

■各コントロールには必ず「名前」をつけていく

　この土台であるユーザーフォームや、今後配置していくコントロールには、それぞれに必ず名前を設定しておくことで、処理を書くのが大変ラクになります。これはプロパティウィンドウの「オブジェクト名」という欄を変更することで設定します。

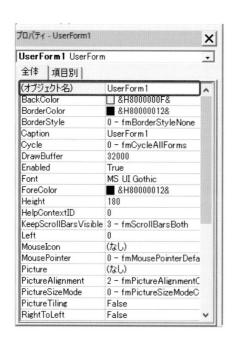

このあと、各コントロールの項目にて繰り返し説明していきますが、まずここでさっそく、このユーザーフォームのオブジェクト名を変更してみましょう。

プロパティウィンドウの「オブジェクト名」は、最初は初期値である「UserForm1」になっていますが、この部分を書きかえます。ここでは「frmSample」と書き換えましょう。同時に、「Caption」を「Sample」にします。

すると、プロジェクトエクスプローラーのユーザーフォームの名前も「frmSample」に変わり、コードウィンドウにあるユーザーフォームのタイトル部分は「Sample」に変わっています。

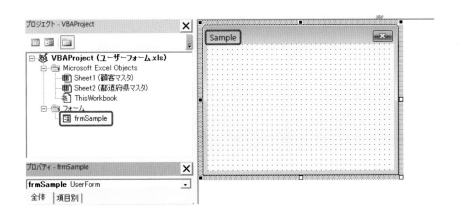

このように、ユーザーフォームの作成においては、プロパティウィンドウでいろいろな設定をすることが増えてきます。その設定によって、プロシージャの作成が大変ラクになるのです。

■ オブジェクト名をつける際のちょっとしたコツ

先ほど、このユーザーフォームには「frmSample」というオブジェクト名をつけました。この先頭の3文字「frm」は、「frmSample」というコントロールの「種類」がわかりやすくなるようにするための工夫です。「frmと先頭にあると、それはユーザーフォームである」ということをわかりやすくしておくのです。

このあと、テキストボックスやチェックボックスなどを使っていきますが、たとえばテキストボックスのオブジェクト名について、ただ「漢字名称」とするよりも、それがテキストボックスであるとわかりやすいように

txt漢字名称

のように、頭にコントロールの種類を示す接頭辞（プリフィックス）を付けることで、プログラムが解読しやすくなります。このあと、各コントロールの設定の都度、繰り返し説明していきます。

この接頭辞は、すべて3文字で統一します。この文字数の統一も、大切な工夫の1つです。

■ 作った入力フォームを立ち上げるには

実際にユーザーフォームを作ったあと、データを入力しようと思ったら、ユーザーフォームを立ち上げなければいけません。まずは、その起動のためのプロシージャが必要です。

標準モジュールに、次のプロシージャを作ります。プロシージャ名は、わかりやすく「フォームの起動」にしておきましょう。

```
(General)
    Option Explicit
    Sub フォームの起動()
        frmSample.Show
    End Sub
```

　frmSampleというのは、先ほどこのユーザーフォームのオブジェクト名として設定した名前です。このように、オブジェクト名はそのままプロシージャの中でメソッド文のオブジェクト指定に使えます。frmSampleというオブジェクトに対して、Showメソッドを実行する処理です。

　このプロシージャを実行すると、先ほど「frmSample」とオブジェクト名をつけたユーザーフォームが立ち上がります。

　次に、「顧客マスタ」シート上にこのユーザーフォームを立ち上げるためのボタンを配置して、そのボタンにこのプロシージャを登録します。

❶ Excelの[開発]タブ→[挿入]→[フォームコントロール]の一番左上にある[ボタン]をクリックする。

❷ シート上でマウスドラッグによりボタンを作成すると[マクロの登録]画面が出るので、登録したいマクロである[フォームの起動]を選択して、[OK]をクリックする。

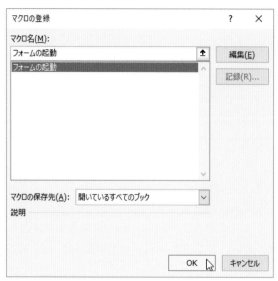

❸ シート上にボタンができる。

	A	B	C	D
1		ボタン 1		
2	休止	コード	漢字名称	カナ名称
3				
4				
5				

　サイズや位置は、オートシェイプなどと同じように、マウスで適当に調整してください。
　テキストの変更は、ボタンの上で右クリック→[テキストの編集]からおこなえます。

❹ ボタンをクリックすると、ユーザーフォームが立ち上がる。

	A	B	C	D	E	F
1	ボタン1					
2	休止	コード	漢字名称	カナ名称	区分	都道府県CD 都
3						
4			Sample	×		
5						
6						
7						
8						
9						
10						
11						
12						
13						
14						
15						

　閉じるには、この時点ではフォーム右上の×マークをクリックします。このあと、ユーザーフォームを閉じるためのボタンとプロシージャも用意します。

　では、このユーザーフォームの上にさまざまなコントロールを配置して入力作業をラクにするツールを作っていく手順を1つずつ見ていきましょう。

クリックボタンを配置する

　先ほどはユーザーフォームを消すのにフォーム右上の×マークをクリックしましたが、ユーザーフォームを消すためのボタンを配置してみましょう。

❶ ツールボックスの中から、[コマンドボタン]のアイコンをクリックする。

❷ フォーム上でマウスドラッグによりボタンを配置する。

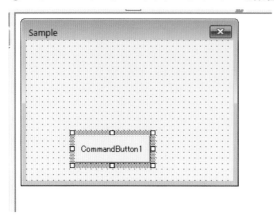

❸ プロパティウィンドウで、[オブジェクト名]を「btnCancel」に、[Caption]
は「閉じる」に変更する。

❹ ボタンの名称もCaptionで設定したとおりに変更される。

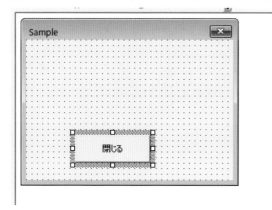

❺ このボタン上でダブルクリックするか、右クリックメニュー→［コードの表示］を選択すると、次のプロシージャが現れる。

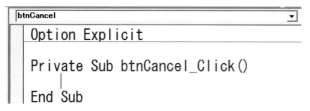

　これは、「btnCancelと名付けたコマンドボタンをクリックしたらどのような動作をするか」を設定するものです。コマンドボタンに対する「クリック（Click）」という操作によって実行される内容をプログラムするためのプロシージャを用意してくれたわけです。このClickのような、マクロが実行されるきっかけとなる操作を総称して、「イベント」といいます。

　このように、どのようなイベントが追加されるかは、コントロールの種類によって最初に勝手に出てくるものが決まっています。コマンドボタンの場合は「Click」イベントが勝手に出てくるわけです。そのため、必要に応じて変更する必要があります。

　このプロシージャの中に、次のようにこのユーザーフォームを閉じる処

理を追加します。

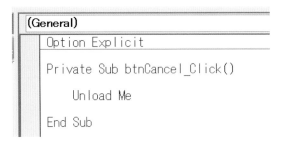

```
(General)
    Option Explicit
    Private Sub btnCancel_Click()
        Unload Me
    End Sub
```

Unload Meというのは「自分自身を閉じる」、つまりユーザーフォームを閉じる処理です。

これで、シート上に作った[入力]ボタンをクリックするとユーザーフォームが表れ、ユーザーフォーム上の[閉じる]ボタンを押すとユーザーフォームが消えるという仕組みができました。実際にクリックして試してみましょう。

ついでに、ここで[OK]ボタンも追加しておきましょう。オブジェクト名は「btnOk」、Captionは「OK」としておきます。

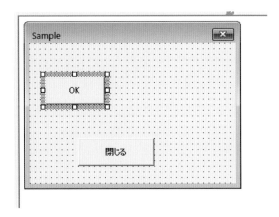

位置やサイズは、まだ適当で大丈夫です。あとでまとめて調整できます。

コントロールの位置やサイズを調整する方法

　配置したコントロールの位置やサイズを、1つ1つマウスで微妙に調整していくのは時間もかかり面倒です。このような調整も、プロパティウィンドウでおこなうことができます。

　たとえば、今配置している2つのボタンのサイズや位置をぴったりに合わせるのは、次のようにかんたんにできます。

❶ マウスドラッグで2つのボタンを選択するか、Ctrl を押しっぱなしにしながら2つのボタンをクリックして、2つのボタンを選択する。

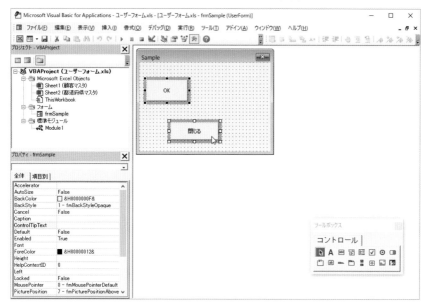

❷ プロパティウィンドウの「Top」で縦位置、「Left」で横位置、「Height」（高さ）と「Width」（幅）でサイズを設定する。

　たとえばTopを100にすると、以下のように縦位置がぴったり合います。

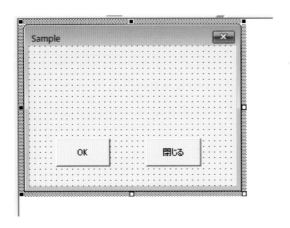

　また、同じく2つのボタンが選択されている状態で、「Height」と「Width」をたとえばそれぞれ30、60にすると、2つのサイズをぴったり同じにすることができるというわけです。この数値は、いろいろ試していい具合を探ることになります。

　まずは、使うコントロールを適当にユーザーフォームの上に置いてしまい、位置やサイズの調整はあとでプロパティウィンドウでおこなうことで、効率的に作業できるようになります。

　なお、マウスで調整する場合、コントロールの位置やサイズはグリッド線に合わせて自動的に調整されます。このグリッド線の間隔や、コントロールの位置がグリッド線に自動的に合わせられるようにするかどうかといった設定は、VBEの［ツール］→［オプション］→［全般］の［グリッドの設定］で設定できます。

チェックボックスや
プルダウンメニューも
自由自在に

　ボタン以外のコントロールについても、実際に配置していきながら、設定方法を見ていきましょう。

ラベル　〜コントロールの項目名や説明を表示する

　各コントロールの項目名や説明など、固定のテキストを表示するのが「ラベル」というコントロールです。

　ここでは、ラベルは3つ作ります。1つ作って、それをコピペで増やすこともできます。

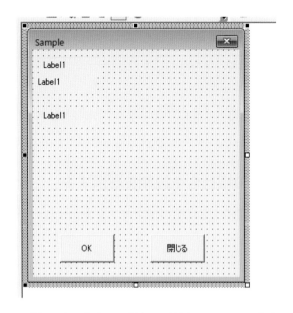

　繰り返しますが、最初に配置するときは適当な位置、サイズで大丈夫で
す。この段階でマウスで微調整しようとすると、余計な時間がかかること
になります。あとで、プロパティウィンドウで一括調整しましょう。

　ここでは「コード」「漢字名称」「カナ名称」という3つのラベルを用意し
ます。プロパティウィンドウにて、それぞれ次のようにオブジェクト名と
Captionを設定していきます。

1つめのラベル

　・オブジェクト名　　→　　lblコード
　・Caption　　　　　→　　コード

2つめのラベル

　・オブジェクト名　　→　　lbl漢字名称
　・Caption　　　　　→　　漢字名称

3つめのラベル

- ・オブジェクト名　　→　　lblカナ名称
- ・Caption　　　　　→　　カナ名称

すると、以下のようにラベルの文字が変わります。

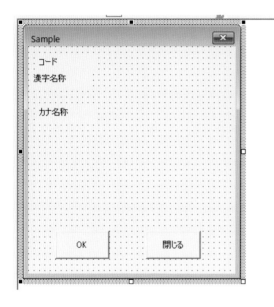

このラベルの文字の編集は、ラベルへ直接入力することでもおこなえます。

テキストボックス　〜文字や数値を入力する

文字や数値を入力するためのコントロールが「テキストボックス」です。

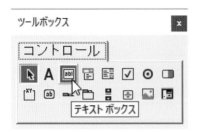

これも3つ追加して、それぞれ順番に次のようにオブジェクト名を変更します。

1つめのテキストボックス

オブジェクト名　→　txtコード

2つめのテキストボックス

オブジェクト名　→　txt漢字名称

3つめのテキストボックス

オブジェクト名　→　txtカナ名称

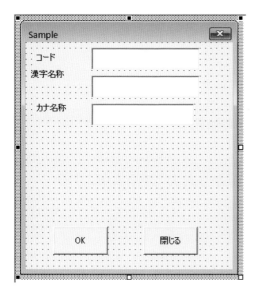

　テキストボックスの場合は、プロパティウィンドウでいくつか設定をしておく必要があります。ここでは、初期設定として、以下を設定します。

MaxLength

　最大文字数を設定できます。適宜指定してください。

TabIndex

　[Tab]を押した場合のカーソルが移動する順番です。0から順次指定していきます。このサンプルの場合は、以下のようにしておきます。

・コード　　　→　0
・漢字名称　→　1
・カナ名称　→　2

IMEMode

　入力モードの設定です。全角入力項目なのか、半角英数のみ入力可なの

かを指定しておくことで、使いやすいフォームになります。ここでは、以下のように設定しておきます。

- ・コード　　　→　fmIMEModeDisable　※全角入力を不可に
- ・漢字名称　→　fmIMEModeHiragana
- ・カナ名称　→　fmIMEModeKatakana

コンボボックス　～選択肢から入力できるようにする

　いくつかの選択肢から選んで入力できる、いわゆるプルダウンメニューを作りたいときに使うコントロールが「コンボボックス」です。

　「区分」というラベルと、コンボボックスを1つ配置します。オブジェクト名は次のように設定します。

- ・ラベル　　　　→　lbl区分
- ・コンボボックス　→　cmb区分

　ここでは、コンボボックスにて「A」「B」「C」の3つから選んで入力できるように選択肢を設定する方法を見てみましょう。
　まず、次のプロシージャを用意します。

```
Private Sub UserForm_Initialize()
End Sub
```

このプロシージャの作成方法は以下のとおりです。

❶ VBEのプロジェクトエクスプローラにて「frmSample」を右クリック→
[コードの表示]を選択し、コードウィンドウを表示させる。
❷ [オブジェクトボックス]で「UserForm」を選択する。

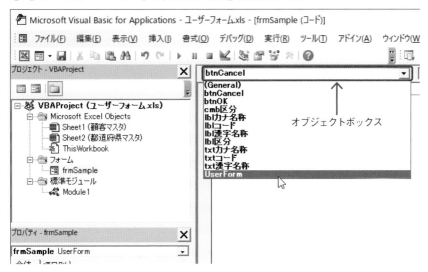

すると、次のようなプロシージャが自動的にできますが、これは使わな
いので、いったん放置しておきます（まだ消してはいけません）。

```
Private Sub UserForm_Click()
End Sub
```

❸ [プロシージャボックス]から「Initialize」を選択する。

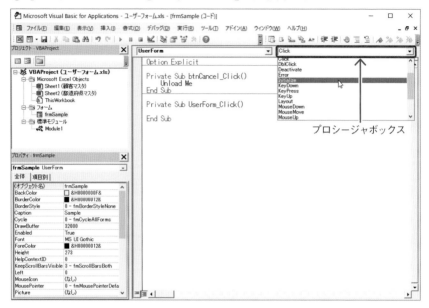

プロシージャボックス

すると、次のようなプロシージャができます。

```
Private Sub UserForm_Initialize()
End Sub
```

これが、ユーザーフォームを立ち上げたときの初期状態を設定するためのプロシージャです。これができたら、先にできていた「Private Sub UserForm_Click()」というプロシージャは消してしまってかまいません。次の状態になります。

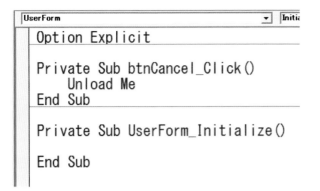

```
UserForm                              ▼  Initia
  Option Explicit

  Private Sub btnCancel_Click()
      Unload Me
  End Sub

  Private Sub UserForm_Initialize()

  End Sub
```

このプロシージャの中に、次のように処理を追加することで、コンボボックスの選択肢を設定することができます。

```
Private Sub UserForm_Initialize()
    Me.cmb区分.AddItem "A"
    Me.cmb区分.AddItem "B"
    Me.cmb区分.AddItem "C"
End Sub
```

コンボボックスの選択肢を設定するには、AddItemメソッドというものを使います。

```
        Me.cmb区分.AddItem "A"
```

これを日本語訳してみましょう。

Meは、使用しているユーザーフォームを意味します。ピリオド（.）は、「の」と読んで訳してみましょう。

【ユーザーフォームの、cmb区分（このコンボボックスにつけたオブジェクト名）の、アイテムを追加。「A」（と追加する）】

AddItemメソッドの後ろに半角スペースを挟んで、設定したい選択肢の文字列などを入力します。

なお、コンボボックスについては、プロパティウィンドウのStyleプロパティを都度確認しましょう。設定によって、設定した選択肢以外の値も入力できるかどうかが変わります。

・設定した選択肢以外の値も入力できるようにする
　→0-fmStyleDropDownComboに設定

・設定した選択肢からの入力のみできるようにする
　→2-fmStyleDropDownListに設定

最初は0-fmStyleDropDownComboになっているので、適宜確認してください。

リストボックス
～選択肢から複数を入力できるようにする

選択肢から選んで入力できる機能はコンボボックスと同様ですが、複数選択もできるのがリストボックスです。

都道府県を入力するリストボックスの作成を例に見ていきましょう。
まず、ラベルとリストボックスを配置します。それぞれオブジェクト名

は、以下のように設定します。

　・ラベル　　　→　lbl都道府県
　・リストボックス　→　lst都道府県

　ここでは、リストボックスに都道府県コードと都道府県名称の2列で表示するようにしてみます。以下のような「都道府県マスタ」シートに用意してある都道府県表のセル範囲A2：B48を使う場合を想定します。

	A	B	C	D	E
1	コード	都道府県名			
2	1	北海道			
3	2	青森県			
4	3	岩手県			
5	4	宮城県			
6	5	秋田県			
7	6	山形県			
8	7	福島県			
9	8	茨城県			
10	9	栃木県			
11	10	群馬県			

　まず、先ほど作成したUserForm_Initializeのプロシージャに次のコードを追加します。

```
With Me.lst都道府県
    .ColumnCount = 2
    .ColumnWidths = "30;80"
    .List = Sheets("都道府県マスタ").Range("A2:B48").Value
End With
```

　ColumnCountプロパティで列数を設定、Listプロパティで使用するセル範囲を指定します。この時、最後のValueプロパティは省略できません。

　リストボックスの列幅は、ColumnWidthsプロパティで設定できます。このように、セミコロン (;) で区切った数値で指定します。数値は適宜修正して調整します。

UserForm_Initializeのプロシージャにリストボックスの選択肢設定も追加すると、以下のようになります。

```
Private Sub UserForm_Initialize()

    With Me.cmb区分
        .AddItem "A"
        .AddItem "B"
        .AddItem "C"
    End With

    With Me.lst都道府県
        .ColumnCount = 2
        .ColumnWidths = "30;80"
        .List = Sheets("都道府県マスタ").Range("A2:B48").Value
    End With

End Sub
```

チェックボックス
～該当するものをすべて選んで指定する

該当するものをすべて選んで指定する際などに便利なチェックボックスも用意されています。

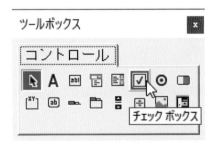

ここでは、チェックボックスを1つ配置し、次のように設定します。

- ・オブジェクト名　→　chk休止
- ・Caption　　　→　休止

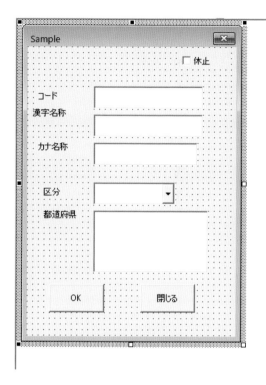

　ユーザーフォーム起動時に、チェックがついている状態にするかどうか
は、それぞれ次のような処理をUserForm_Initializeのプロシージャに追加す
ることで設定できます。

・チェックがついている状態にする場合

```
Me.chk休止.Value = True
```

・チェックがついていない状態にする場合

```
Me.chk休止.Value = False
```

オプションボタン
〜複数の選択肢から1つだけを選ばせる

複数の選択肢から1つだけを選ばせるには、オプションボタンというものもあります。

ここでは2つ作ります。それぞれ、次のように設定します。

・オブジェクト名　→　opt企業、opt個人
・Caption　　　　→　企業、個人

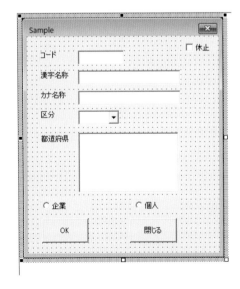

入力内容をシートへ
転記する

　これで、P.279に提示したサンプルに使用されているコントロールの配置と設定がすべて終わりました。

　ここまで作成した入力フォームの各項目を入力したあと、[OK] ボタンをクリックしたら入力した内容がシートに転記されるように設定していきましょう。

　ユーザーフォーム作成画面で [OK] ボタン、つまりオブジェクト「btnOk」をダブルクリックすると、コードウィンドウが表示され、次のプロシージャが作成されます。

```
btnCancel                                    ▼  Click                              ▼
 Option Explicit

 Private Sub btnCancel_Click()
     Unload Me
 End Sub

 Private Sub btnOk_Click()

 End Sub

 Private Sub UserForm_Initialize()

     With Me.cmb区分
         .AddItem "A"
         .AddItem "B"
         .AddItem "C"
     End With

     With Me.lst都道府県
         .ColumnCount = 2
         .List = Sheets("都道府県マスタ").Range("A2:B48").Value
     End With
 End Sub
```

　[OK] ボタンをクリックしたら実行される内容をプログラムするためのプロシージャです。各コントロールへの入力内容がシートに転記されるようにプロシージャを作成していきます。

シートの何行めにデータを入力するかを決める

ユーザーフォームに入力した内容を「顧客マスタ」の何行めに転記するか。顧客データを新規で追加する場合は、データの最終行の1つ下の行ということになります。

まずは「何行めに入力するか」という行数の指定に使う変数iを用意します。そして、その変数に入力行の数字を入れる次の処理をプロシージャに追加します。ここでは、シートのB列のデータ最終行数を取得する処理になっています。

```
Dim i As Long
With Sheets("顧客マスタ")
    i = .Cells(.Rows.Count, 2).End(xlUp).Row + 1
End With
```

この変数iを使って、各コントロールの値を入力するセルを指定します。以下、各コントロールごとの、セルへの転記処理の書き方を解説します。

チェックボックスのチェックの有無の判定とセルへの転記をおこなうには

チェックボックスにチェックが入っていたらシートのA列に「休止」と入力、入っていなかったら空白にするには、次のようにIf Then構文で判定しながら転記することになります。

```
If Me.chk休止.Value = True Then
    .Cells(i, 1) = "休止"
Else
    .Cells(i, 1) = ""
End If
```

テキストボックス、コンボボックスの内容をセルに転記するには

これはシンプルです。次のように書きます。

```
.Cells(i, 2) = Me.txtコード.Text
.Cells(i, 3) = Me.txt漢字名称.Text
.Cells(i, 4) = Me.txtカナ名称.Text
.Cells(i, 5) = Me.cmb区分.Text
```

「txtコード」「txt漢字名称」など、各コントロールのTextプロパティの値をセルに入力する、という処理です。

リストボックスの値をセルに転記するには

次のような処理になります。

```
.Cells(i, 6) = Me.lst都道府県.List(Me.lst都道府県.ListIndex, 0)
.Cells(i, 7) = Me.lst都道府県.List(Me.lst都道府県.ListIndex, 1)
```

詳細は補足サイトにて解説します。

オプションボタンの選択をシートに転記するには

これはSelect Case構文（くわしくはP.350を参照）を使って、以下のよう
に書きます。

```
Select Case True
    Case Me.opt企業.Value
        .Cells(i, 8) = "企業"
    Case Me.opt個人.Value
        .Cells(i, 8) = "個人"
    Case Else
        .Cells(i, 8) = ""
End Select
```

以上1つ1つを、先ほどできた「btnOk_Click」プロシージャの中に組み
込んで完成したのが以下のプロシージャです。

```
Private Sub btnOk_Click()
    Dim i As Long
    With Sheets("顧客マスタ")
        '変数iに入力するセルの行数を入れる
        i = .Cells(.Rows.Count, 2).End(xlUp).Row + 1
        '各項目入力
        If Me.chk休止.Value = True Then
            .Cells(i, 1) = "休止"
        Else
            .Cells(i, 1) = ""
        End If

        .Cells(i, 2) = Me.txtコード.Text
        .Cells(i, 3) = Me.txt漢字名称.Text
        .Cells(i, 4) = Me.txtカナ名称.Text
        .Cells(i, 5) = Me.cmb区分.Text
        .Cells(i, 6) = Me.lst都道府県.List(Me.lst都道府県.ListIndex, 0)
        .Cells(i, 7) = Me.lst都道府県.List(Me.lst都道府県.ListIndex, 1)

        Select Case True
            Case Me.opt企業.Value
                .Cells(i, 8) = "企業"
            Case Me.opt個人.Value
                .Cells(i, 8) = "個人"
            Case Else
                .Cells(i, 8) = ""
        End Select
    End With
End Sub
```

では、実際に入力してみます。

❶ シート上に作成したユーザーフォームを起動するボタンをクリックする。

	A	B	C	D	E	F	G	H
1		入力						
2	休止	コード	漢字名称	カナ名称	区分	都道府県CD	都道府県名	企業／個人
3								
4								
5								

❷ ユーザーフォームが立ち上がるので、各項目を入力して、最後に[OK]を クリックする。

Sample ☐休止

コード [1]

漢字名称 [株式会社すごい改善]

カナ名称 [カブシキガイシャスゴイカイゼン]

区分 [A ▼]

都道府県
```
9    栃木県
10   群馬県
11   埼玉県
12   千葉県
13   東京都
14   神奈川県
15   新潟県
16   富山県
```

◉ 企業   ○ 個人

[OK]   [閉じる]

❸ シート上のセルにデータが転記される。

	A	B	C	D	E	F	G	H	I
1		入力							
2	休止	コード	漢字名称	カナ名称	区分	都道府県CD	都道府県名	企業／個人	
3		1	株式会社すごい改番	カブシキガイシャスゴイン	A		13	東京都	企業	
4									

　このように、顧客リストなど項目数が多いデータの入力もやりやすくすることができるのです。

　この段階では、[OK] ボタンをクリックしてデータがシートに転記されても、ユーザーフォームに入力した値は残ったまま、ユーザーフォームも立ち上がったままです。以下、希望にあわせて調整していってください。

OKボタンをクリックしたらユーザーフォームを閉じるには

シンプルに、プロシージャの最後に次の処理を追加します。

```
Unload Me
```

続けて入力できるようにするには

　[OK] をクリックしたらいったんユーザーフォームを初期化して次のデータを入力できるようにするには、入力済みのテキストボックスなどを空白に戻す処理を追加します。上記のプロシージャの場合、以下のような処理を最後に追加します。

```
Me.chk休止.Value = False
Me.txtコード.Text = ""
Me.txt漢字名称.Text = ""
Me.txtカナ名称.Text = ""
Me.cmb区分.Value = ""
Me.opt企業.Value = False
Me.opt個人.Value = False
```

入力フォームへ情報を呼び出して修正や確認が
できるようにする

　次に、シート上のデータをこのユーザーフォームに呼び出す方法を見てみましょう。ここでは、コード欄にコードを入力し、そのコードのデータがシート上にあったらその情報をユーザーフォームに呼び出す方法を考えます。

❶ ボタンを1つ配置して、次のように設定する。

　　・オブジェクト名　　→　　btn確認

　　・Caption　　　　 →　　確認

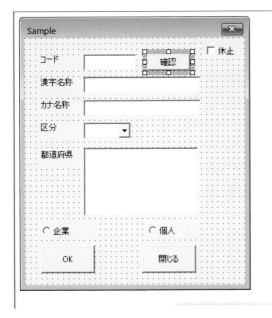

❷ [確認]ボタンをダブルクリックすると、次のプロシージャができる。

```
Private Sub btn確認_Click()
|
End Sub
```

　[コード]欄に検索したいコードを入力してこの[確認]ボタンをクリックするとどのような処理がされるようにしたいか、整理してみましょう。
　たとえば、コードが「2」のデータをユーザーフォームに呼び出したい場合。まず、コード「2」のデータは「顧客マスタ」シートの何行めにあるのかを調べます。

	A	B	C	D	E	F	G	H
1		入力						
2	休止	コード	漢字名称	カナ名称	区分	都道府県CD	都道府県名	企業/個人
3		1	株式会社すごい改善	カブシキガイシャスゴイカイゼン	A	13	東京都	企業
4		2	株式会社すごい顧客管理	カブシキガイシャスゴイコキャクカンリ	B	13	東京都	企業
5		3	株式会社すごいオンラインセミナー	カブシキガイシャスゴイオンラインセミナー	B	13	東京都	企業
6		4	株式会社すごい内部統制	カブシキガイシャスゴイナイブトウセイ	A	14	神奈川県	企業
7								

　それがわかれば、あとはその行数を変数iなどに入れて、次のような処理で各コントロールに呼び出すことができます。

```
Me.txt漢字名称.Text = .Cells(i, 3)
Me.txtカナ名称.Text = .Cells(i, 4)
Me.cmb区分.Text = .Cells(i, 5)
```

　この変数iに入る数字を調べるにはどうするか。
　1列または1行のある範囲において、指定した値が何個めに出てくるか調べるExcelの関数に、Match関数があります。これを使います。
　シートのどこか空いているセルに次の関数式を入力すると、そのセルには「4」という答えが出ます。

```
=Match(2,B:B,0)
```

これは、第一引数に指定した値「2」を、第二引数で指定した範囲「B列」の、上から何個めのセルに出てくるかを返す関数です。「2」は、B列の上から数えて4つめのセルに出てくるので、この関数の答えとして「4」が出るわけです。これをVBAでも使うことができます。

```
Option Explicit

Private Sub btn確認_Click()                                           ①
    Dim i As Long                                                    ↓
    With Sheets("顧客マスタ")
        i = WorksheetFunction.Match(CLng(Me.txtコード.Text), .Range("B:B"), 0)
        Me.txt漢字名称.Text = .Cells(i, 3) ←②
        Me.txtカナ名称.Text = .Cells(i, 4) ←③
        Me.cmb区分.Text = .Cells(i, 5) ←④
    End With
End Sub
```

　①のMatch関数のカッコの中の引数について、特に第一引数がわかりづらいと思うので、もう少しくわしく見てみましょう。

```
CLng(Me.txtコード.Text)
```

　これはどんな処理をしているのか。

　まず、Me.txtコード.Text。これは、文字どおり、テキストボックス「txtコード」に入力した値である「2」を意味していますが、この「2」は文字列になっています。「顧客マスタ」シートのB列に入っているデータはすべて数値なので、「2」が文字列のままだとうまくいきません。そこで、これをCLng関数というもので数値に変換して、Match関数の第一引数に使っています。

　これで、変数iに4が入ります。その変数iを②、③、④で各コントロールに呼び出す値のセル指定に使っているということです。

　このようなプロシージャが正確に作成できると、「確認」ボタンをクリックすることによって「コード」欄に入力したコードの顧客情報をシートからこのフォームの各コントロールに呼び出すことができるということです。

入力項目の数が非常に多くて
大変な場合はどうするか

　ここまで、コントロールの種類ごとに、ユーザーフォーム上での設定の仕方、セルへの転記、また逆にセルの値をユーザーフォームに呼び出す処理の書き方を見てきました。これで一定のものは作れるようになります。

　次にご紹介したいのは、非常に多くの入力項目があるユーザーフォームを作る時、「まともにやると大変なことになるけど、こんな方法も考えられますよ」という1つのアイディアです。

　まともにやると大変になるとは、たとえばユーザーフォームに配置したコントロールが100個あったら、それをシートに転記するプロシージャはどうなるでしょうか。1つの転記処理に最低1行は必要ですから、最低でも100行の処理をプロシージャの中に書いていくことになります。

　プログラミングにはさまざまな流儀や考え方があります。このような際であっても「100行きちんと書くべきだ」という意見もあります。

　一方、本書の使命は「だれでも気軽にExcelマクロを使いこなせる状態の実現」です。この膨大な処理を書く作業自体を少しでもラクにして、マクロを使うハードルを下げることができるなら、やってみたいと思います。

　先ほど作ったプロシージャの転記の処理を見てみましょう。

```
.Cells(i, 2) = Me.txtコード.Text
.Cells(i, 3) = Me.txt漢字名称.Text
.Cells(i, 4) = Me.txtカナ名称.Text
.Cells(i, 5) = Me.cmb区分.Text
```

　よく見ると、「.Cells(i, 2) = Me.txtコード.Text」という、コントロールの内容をセルに転記する似たような処理が「反復」されていますね。「反復」といえば……For Next構文です。For Next構文の内側にこの転記処理を組み込むことで、膨大な転記処理のプロシージャ作成自体をラクにするための考え方を見てみましょう。

項目名のセルに「名前の定義」機能で名前をつけ、
その名前はセルの値をそのまま使う

　たとえば、「漢字名称」は今まではC列にあったが、その手前に1列挿入されて、「漢字名称」はD列に変わった……そのような時に、いちいちプロシージャで「漢字名称」を入力する列の指定を修正するのは面倒です。

　そのような時、「漢字名称」は何列めかをExcelが自動判別できたら助かります。その仕組みを作るために、「名前の定義」機能でセルに名前をつけておきます。

　たとえば、C列に顧客名を入力することになっている場合。C2セルに「漢字名称」と項目名が入力されているとします。

　C3にセルに「txt漢字名称」というテキストボックスの値を入力する処理は以下のようになりますね。

```
Cells(3,3) = Me.漢字名称.Text
```

　ところが、C列の手前に1列挿入されて、漢字名称を入力するセルはD列にずれたとします。すると、この処理は以下のようにCellsの列数を変更しなければなりません。これは面倒です。

```
Cells(3,4) = Me.漢字名称.Text
```

　では、どうするか。あらかじめC2セルに名前の定義機能で「漢字名称」と名前をつけておくと、「漢字名称」と名前のついたセルの列数を以下の処理で取得できるようになります。

```
Range("漢字名称").Column
```

　これを使って、ユーザーフォームからセルへの転記は次のような処理で実行することができます。

```
Cells(3,Range("漢字名称").Column) = Me.txt漢字名称.Text
```

　これなら、最初に「漢字名称」と名前をつけたセルが何列めにずれても
大丈夫です。その都度「漢字名称」と名前定義されたセルが何列めにある
かを判別してくれます。

　「データベース表の項目名のすべてのセルに名前を定義し、定義する名
前はそのセルの値を使う」という処理は、次のプロシージャで自動化でき
ます。「顧客マスタ」というシートの2行めに項目名のセルが並んでいる時、
1つずつそのセルの値を使って名前の定義をしていく処理です。

```
Option Explicit

Sub 名前の定義()
    Application.ScreenUpdating = False                          ①
    Dim i As Long                                                ↓
    With Sheets("顧客マスタ")
        For i = 1 To .Cells(2, .Columns.Count).End(xlToLeft).Column
            ThisWorkbook.Names.Add _   ←②
                Name:=.Cells(2, i), _
                RefersTo:="=" & .Cells(2, i).Address(external:=True)
        Next
    End With
End Sub
```

　①では、カウンター変数のiは、For Nextの内側を見ると名前の定義をす
るセルの列指定に使われています。つまり、シートの1列めから最終列ま
で、名前の定義の処理を繰り返すことになります。

　②は改行しながら書いていますが、名前の定義の処理はこのように書き
ます。

　シートの追加が「Sheets.Add」だったように、名前の定義は「名前の追加」
ということで「ThisWorkbook.Names.Add」という処理になります。日本語
に訳すと以下のとおりです。

**【このブックの、名前の追加。名前（Name）は、Cells(2,i)の値。名前を付
けるセル（RefersTo）は、Cells(2,i)のアドレスプロパティの値（"C2"など）】**

なお、Addressプロパティについているカッコ内のexternal:=Trueというのは、Addressプロパティが示す文字列が"C2"などのようにセルの参照だけでなく、ブック名、シート名も含めた参照になることを示すものです。

COLUMN

セルにつける名前の規則

セルにつける名前には、以下のような規則があります（Excelのヘルプより引用）。今回のように、セルに入力する項目名をそのままそのセルの名前の定義に使う場合は、その項目名もこのルールに従う必要があるのでご注意ください。

有効な文字

名前の最初の文字には、文字、アンダーバー（_）、円記号（¥）しか使えません。最初の文字以外には、文字、数値、ピリオド（.）、およびアンダーバー（_）を使用できます。

なお、大文字と小文字の"C"、"c"、"R"、または"r"は予約されているため、定義された名前として使用することはできません。これらの文字を［名前］または［移動先］ボックスに入力すると、現在選択されているセルの行または列が選択されます。

セル参照と競合する名前は不可

Z$100やR1C1など、セル参照と競合する名前は使用できません。

スペースは不可

スペースは、名前の一部として使用できません。単語の区切りには、アンダーバー（_）やピリオド（.）を使用してください（Sales_Tax、First.Quarterなど）。

名前の文字数

名前に使用できる文字数は、半角で255文字までです。

大文字と小文字の区別

名前には、大文字と小文字の両方を使用することができます。名前の大文字と小文字は区別されません。たとえば、ブックに"Sales"という名前を付け、同じブックに"SALES"という名前を付け直すと、一意の名前を付けるように求めるメッセージが表示されます。

各コントロールの内容はシートの何列めに転記すればいいのかを自動設定する

たとえば「txtコード」というオブジェクト名をつけたコントロールに入力した内容は、シート上で「コード」と名前を定義したセルの列に転記するとします。以下のケースの場合、A列、つまりシートの1列めということになります。

	A	B	C	D	E	F
1	入力					
2	コード	漢字名称	カナ名称	区分		
3						
4						

このような、各コントロールについて入力内容を転記する列をExcelに判断させる仕組みを作りましょう。その仕組みづくりのために、セルにつけた名前と、コントロールにつけたオブジェクト名を使います。

まず、コントロールにつけるオブジェクト名、その内容を転記する列の項目名のセルにつける名前について、次のように接頭辞を除くとこの2つ

の名前が同じになるように設定します。

【コントロールのオブジェクト名】		【項目名のセルにつける名前】
・txtコード	→	コード
・txt漢字名称	→	漢字名称
・txtカナ名称	→	カナ名称
・cmb区分	→	区分

　コントロールのオブジェクト名につける接頭辞は、3文字で統一してい
ます。すると、オブジェクト名の先頭3文字を外した文字列が、セルにつけ
た名前と同じ文字列になりますね。この「オブジェクト名の先頭3文字を
外した文字列」を使って、入力するのは何列めのセルなのかを調べます。
この仕組みのために、「接頭辞は3文字で統一する」というルールを決めて
いたのです。
　次に、以下の処理の右辺にある「Me.txtコード」のようなコントロール名
の書き方を変えていきます。

```
Cells(3, Range("コード").Column) = Me.txtコード.Text
```

「Me.txtコード」は、次のような書き方でも指定できます。

```
Controls ("コード")
```

　シートを指定するSheetsと同じように考えてください。Sheets("Sheet1")
という書き方は、数あるシート（Sheets）の中から"Sheet1"というセルを指
定するものです。それと同じように、数あるコントロール（Controls）の中
から、"txtコード"とオブジェクト名がついたコントロールを指定するこの
ような書き方があるわけです。これを先ほどの処理に組み込むと、以下の
ようになります。

```
Cells(3, Range("コード").Column) = Controls("txtコード").Text
```

　さらに、シートの並び順番号でシートを指定できるSheets(1)というような指定と同じように、各コントロールにもインデックス番号があり、Controls(1)というような指定をすることができます。ただし、コントロールのインデックス番号は、最初は1ではなく、0から始まるという特徴があります。それに注意して、For Next構文を使ってこのインデックス番号を0から順番に1ずつ増やして各コントロールを指定していくという方法が考えられます。

　では、次のように各コントロールに入力した内容を、シートに転記するユーザーフォームを完成させましょう。

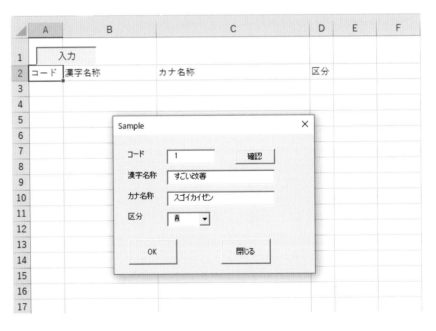

　以上の内容をふまえて、次のプロシージャを解読してみましょう。

```
Option Explicit
Private Sub btnOk_Click()
    Dim i As Long
    Dim r As Long
    Dim CellName As String
    With Sheets("顧客マスタ")
        r = .Cells(.Rows.Count, 1).End(xlUp).Row + 1 ←①
        For i = 0 To Controls.Count - 1 ←②
            CellName = Mid(Controls(i).Name, 4) ←③                    ⑤
            If TypeName(Controls(i)) = "TextBox" Or ←④               │
                TypeName(Controls(i)) = "ComboBox" Then              ↓
                .Cells(r, .Range(CellName).Column) = Controls(i).Text
                Controls(i).Text = "" ←⑥
            End If
        Next
    End With
End Sub
```

①では、データを転記する行を変数rに入れます。A列のデータ最終行数
に1を足した行、つまりデータの一番下に新しくデータが追加されるよう
にしています。

②では、各コントロールについて順番に転記処理を繰り返すため、For
Next構文の枠組みを用意しています。Controlsのインデックス番号は0か
ら始まるので、

- ・For Nextの初期値　　→　　0
- ・For Nextの終了値　　→　　Controlsの総数から1を引いた値である
　　　　　　　　　　　　　　　「Controls.Count-1」

ということになります。

③では、コントロールのオブジェクト名の4文字以降を取り出した値を
変数CellNameに入れています。Mid関数は、第三引数を省略すると、開始
位置以降のすべての文字を取り出します。

④では、各コントロールが「TextBox」か「Combobox」のいずれかである
場合、データの転記処理をおこなう判定をしています。Typename関数は、
指定した変数のデータ型を返す関数です。

⑤では、コントロールに入力された値（Textプロパティの値）をセルに転記しています。

最後に⑥において、転記が終わったコントロールの内容を消去します。

ユーザーフォームの [OK] ボタンを押してこれを実行すると、以下のように各コントロールの内容がシートに転記され、各コントロールは空白になります。

	A	B	C	D	E	F
1		入力				
2	コード	漢字名称	カナ名称	区分		
3	1	すごい改善	スゴイカイゼン	A		
4						
5						
6						
7						
8						
9						
10						
11						
12						
13						
14						
15						
16						
17						

Sample

コード　　　　　　　　　　確認
漢字名称
カナ名称
区分

OK　　　　　閉じる

ユーザーフォームの作成において、コントロールの数が非常に多くならざるをえない場合は、このようなFor Next構文による各コントロールからセルへの転記の繰り返し処理によって、プロシージャの作成をラクにできます。ただし、この方法を使うには、入力用のコントロールの種類はテキストボックス、コンボボックスのみで済ませる必要があります。

さらに、[確認] ボタンをクリックしてシート上のデータをユーザーフォームに呼び出したり、コンボボックスの項目を設定するといった処理

もあわせて書かれた一連のプロシージャが以下になります。

```
Option Explicit

Private Sub btnCancel_Click()
    Unload Me
End Sub

Private Sub btnOk_Click()
    Dim i As Long
    Dim r As Long
    Dim CellName As String
    With Sheets("顧客マスタ")
        r = .Cells(.Rows.Count, 1).End(xlUp).Row + 1
        For i = 0 To Controls.Count - 1
            CellName = Mid(Controls(i).Name, 4)
            If TypeName(Controls(i)) = "TextBox" Or _
                TypeName(Controls(i)) = "ComboBox" Then
                .Cells(r, .Range(CellName).Column) = Controls(i).Text
                Controls(i).Text = ""
            End If
        Next
    End With
End Sub

Private Sub btn確認_Click()
    Dim i As Long
    Dim r As Long
    Dim CellName As String
    With Sheets("顧客マスタ")
        If WorksheetFunction.CountIf(.Range("A:A"), CLng(Me.txtコード.Text)) = 0 Then
            MsgBox "該当データが見つかりません"
        Else
            r = WorksheetFunction.Match(CLng(Me.txtコード.Text), .Range("A:A"), 0)
            For i = 0 To Controls.Count - 1
                CellName = Mid(Controls(i).Name, 4)
                If TypeName(Controls(i)) = "TextBox" Or _
                    TypeName(Controls(i)) = "ComboBox" Then
                    Controls(i).Text = .Cells(r, .Range(CellName).Column)
                End If
            Next
        End If
    End With
End Sub

Private Sub UserForm_Initialize()
    With Me.cmb区分
        .AddItem "A"
        .AddItem "B"
        .AddItem "C"
    End With
End Sub
```

このように、複数のプロシージャを組み合わせてユーザーフォームの動作を整えていくのです。

データは「入力」と「蓄積」と「出力」で場所を分ける

　以上、使えると便利なユーザーフォームの作り方、シートへの転記処理の書き方を紹介してきました。「Excelの顧客管理はやりづらい……」というのは、データを「蓄積」するシートに直接データを入力し、またそのシートを見て顧客情報を把握しようとするからなのです。

　それを解消するには、データの入力は別のフォームでおこない、顧客情報の確認や分析は別途用意したフォーマットに書き出す（出力）という仕組みを整えなければなりません。

　・入力　　→　本章で紹介したユーザーフォーム
　・蓄積　　→　基本として、まずはデータベース形式のExcelシート
　・出力　　→　目的別に別途用意したフォーマット

　この3つを用意するという基本的な考え方を押さえておくと、データの蓄積や活用はとてもやりやすくなります。そして、それぞれのプロセスにおいてマクロ機能による自動化を活用することで、より早く正確にデータを活用できるようになります。

　さらに高度な工夫もできますが、まずは本章で、Excelでは自分でオリジナルの入力フォームを作れるようになること、そしてその方法の基本を押さえることを目的としています。

　まずは何かかんたんなユーザーフォームを作ってみてください。その中で、たくさんつまづく点や行きづまる点が出てくると思います。そのような試行錯誤を乗り越えていくことで、自動化ツールの開発スキル、プログラミングのスキルがおもしろいように高まっていきます。それはそのまま現実の仕事において、物事が思うようにいかない原因や対処法の示唆となるものでもあります。このように、プログラミングの実践には、現実の仕事力を上げるおまけの効果もあるのです。

　本来、Excelをこのようなデータベースとして使うことは推奨されないといわれています。たしかに、数名以上でデータを入力したり共有したり

するようなデータベースをExcelで運用すると、さまざまな問題が起こりやすくなります。しかしながら、2〜3名で共有する程度の規模感であれば、Excelでもまったく問題なく長年運用されているケースも多々あります。「Excelでデータベースはダメ」と一律で考えるのではなく、その業務の規模や寿命などを考慮しながら、適切なツールを見極めていく必要があります。

第 9 章

「保存せずにファイルを閉じちゃった……！」という悲劇をなくす

～イベント処理

うっかりミスを防ぐ
仕組みの作り方

ボタンをクリックしなくても自動的に 動き出すマクロも作れる

　これまで紹介してきたプロシージャは、VBEから F5 で実行したりボタンをクリックすることで実行が始まるものでした。一方、「ファイルを開く」または「ファイルを閉じる」、「シートを選択する」などのような何らかの操作をきっかけに自動的に動き出すプロシージャも作ることができます。たとえば、

- ・ブックを閉じようとした時、もし保存してなかったら、無条件で保存する
- ・ブックを開いただけでマクロが実行されるようにする
- ・シートを選択しただけでマクロが実行されるようにする

……といったことが可能なのです。こういった処理を「イベント処理」といいます。

　これまで、すべて「プロシージャは、VBEを起動して、標準モジュールを追加し、そこに書く」と説明してきました。では、標準モジュール以外のThisWorkbookやその他の「シートモジュール」は何のためにあるのかというと、本章のテーマであるイベント処理、つまり何らかの操作をきっかけに自動的に動き出すプロシージャを作るためにあったのです。本章では、そのようなプロシージャの作り方について、ケース別に解説します。

保存してない場合はファイルを
閉じれないようにするには

　まずは、保存してない場合は自動的に上書き保存をするイベント処理を見てみましょう。この場合、ブックを閉じる操作をきっかけにプロシージャが実行されるように設定します。これは、ThisWorkbookモジュールに、次のようにプロシージャを作ります。

❶ プロジェクトエクスプローラーにて、ThisWorkbookモジュールのアイコンをダブルクリックする。

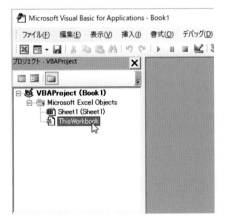

❷ [オブジェクトボックス]から「Workbook」を選択する。

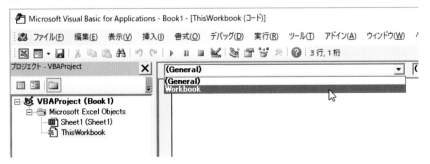

❸ 作られたプロシージャは無視して、[プロシージャボックス]で「BeforeClose」を選択する。

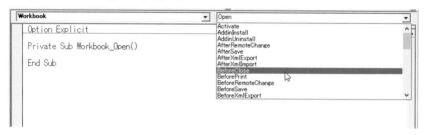

❺ Workbook_BeforeClose……、つまりブックを閉じる動作時に実行されるプロシージャができる。

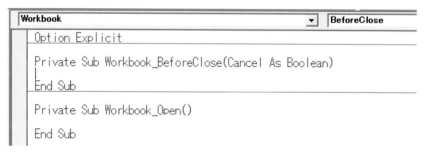

　これができたら、Workbook_Openのプロシージャは消してしまってかまいません。

　たとえば、保存されていない状態でブックを閉じようとした時、自動的に保存して閉じるようにするには、次のようなIf Then構文を使った処理を書きます。「ブックが保存されていなかったら、保存する」という処理です。

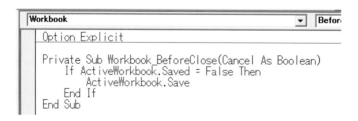

このプロシージャをThisWorkbookモジュールに作っておけば、その
ブックについては変更を保存せずに閉じてしまうミスを防止できます。

特定のシートが選択されたら確認メッセージを出すには

次は、特定のシートが選択されたら自動的に「内容を確認してください」
というメッセージを表示するようにしてみましょう。

❶ プロジェクトエクスプローラーにて、選択されたらその動作を発生させたい
シートのモジュールをダブルクリックする。

❷ [オブジェクトボックス]で「Worksheet」、[プロシージャボックス]で
「Activate」を選択すると、次のプロシージャができる。

Worksheet	∨	Activate

```
Option Explicit

Private Sub Worksheet_Activate()

End Sub
```

❸ この中にメッセージボックスを表示するコードを入力して、プロシージャを
完成させる。

Worksheet	∨	Activate

```
Option Explicit

Private Sub Worksheet_Activate()
    MsgBox "内容を確認してください"
End Sub
```

これで、あとは該当シートを選択、つまりアクティブにすると、自動的
にこのようにメッセージボックスが表示されるようになります。これが、
「シートを選んだだけで自動的にマクロが動き出す」ということです。

かゆいところに手が届く
処理のポイント

■ セルをダブルクリックしたら色がつくようにするには

ダブルクリックしたセルに色をつけたり消したりすることもできます。
「次々に数字をチェックして、気になるところに印をつけたい」といった作
業時に役立ちます。

ダブルクリックによって実行されるプロシージャを作成するには、以下
のようにします。

❶ プロジェクトエクスプローラーにて、処理を実行させたいシートのシートモ
ジュールをダブルクリックする。
❷ [オブジェクトボックス]で「Worksheet」、[プロシージャボックス]で
「BeforeDoubleClick」を選択して、次のようなプロシージャを作成す
る。

```
Worksheet                                    ∨   BeforeDoubleClick
    Option Explicit

Private Sub Worksheet_BeforeDoubleClick(ByVal Target As Range, Cancel As Boolean)
    With Target
        If .Interior.Pattern = xlNone Then
            .Interior.Color = vbRed
        Else
            .Interior.Pattern = xlNone
        End If
        Cancel = True
    End With
End Sub
```

これで、ダブルクリックしたセルに色がついていなければ赤く塗りつぶ
し、色がついていたらそれを消すことができるようになります。

Targetというのは、ダブルクリックされたセルを意味します。

Cancel= Trueというのは、ダブルクリック操作を無効化する指定ですが、
わかりやすく言うと、セルのダブルクリックによってセルが編集状態にな

るのを回避するものです。

セルの値を変更したら何かが起こるようにするには

「入力」という以下の表のA3セルからA7セルに1～5までの商品Noを入力すると、右側の「マスタ」表を参照して商品名と単価がB列とC列に入力されるような仕組みを考えてみましょう。

	A	B	C	D	E	F	G
1	■入力				■マスタ		
2	商品No	商品名	単価		商品No	商品名	単価
3					1	右足を左足を交互に出すと、歩ける	1,980
4					2	息を止めると、呼吸ができない	1,480
5					3	24時間経つと、一日が過ぎる	980
6					4	君以外の人はみんな、君ではない	1,280
7					5	目を閉じると、何も見えなくなる	2,580
8							
9							

多くの場合、「入力」表のB列とC列のセルにVLookup関数を入力するケースですが、セルへの関数入力だと困るケースがあります。

たとえば、VLookup関数で「マスタ」を参照して入力された単価をその時だけ変更したい場合。一時的な値引きをすることになったので、単価を変更したくなったとします。

そのとき、「入力」表の「単価」のセルに変更後の数字を入力してしまうと、当然そのセルに入っていたVLookup関数は消えてしまいます。商品Noの入力に連動して、VLookup関数で単価を自動入力できるようにするには、わざわざVLookup関数を再度入力しなければなりません。

このようなケースで、セルに何か入力したら……つまりセルの値を変更したら実行されるイベント処理が使われるケースは非常に多くあります。

この表があるシートのシートモジュールで、[オブジェクトボックス]で「Worksheet」、[プロシージャボックス]で「Change」を選択したうえで、次のようなプロシージャを作成します。

```
Worksheet                                    ▼  Change

Option Explicit

Private Sub Worksheet_Change(ByVal Target As Range)
    If Not Intersect(Target, Range("A3:A7")) Is Nothing Then  ←①
        If Target <> "" Then  ←②
            Target.Offset(0, 1) = WorksheetFunction.VLookup( _  ←③
                Target, Range("E:G"), 2, 0)
            Target.Offset(0, 2) = WorksheetFunction.VLookup( _
                Target, Range("E:G"), 3, 0)
        Else
            Target.Offset(0, 1) = ""  ←④
            Target.Offset(0, 2) = ""
        End If
    End If
End Sub
```

　①では、「変更されたセル（Target）が範囲[A3:A7]に含まれていたら」という条件判定をしています。Intersectメソッド、NotやIs、Nothingという単語については、本書の補足サイトを参照してください。かんたんにいえば、

【変更されたセルがA3：A7セルのいずれかであれば、次の行以下に書かれた処理を実行する】

ということです。
　②でさらに条件分岐しています。

【変更されたセル（Target）が空白でなければ、次の行の処理を実行する】

ということです。①と合わせて、二重の条件分岐をおこなっています。
　③は、VLookup関数を使って、商品名、単価を入力する処理です。
　④は、②の条件分岐において、Targetの値が空白になった場合は商品名、単価のセルも空白にする処理です。

ブックを開いたら自動的に何かが起こるようにするには

ファイルを開いた日が金曜日だったら「今日は金曜日です。週次レポートを提出してください。」とメッセージを出すようにしてみましょう。

ブックのThisWorkbookモジュールに、次のようなWorkbook_Openのプロシージャを作ります。

```
Workbook                                    ▼  Open
  Option Explicit

  Private Sub Workbook_Open()
      If Format(Date, "aaa") = "金" Then
          MsgBox "今日は金曜日です。週次レポートを提出してください。"
      End If
  End Sub
```

Format関数は、ワークシート関数ではTEXT関数に当たるものです。また、Date関数はプロシージャ実行時点の日付を表します。つまり、Format(Date, "aaa")は「今日の曜日を表す文字（月、火など）」を返します。

本章の要点は、以下の3点です。

① 標準モジュール以外のモジュールは、本章で紹介したイベント処理をおこなうプロシージャを作るためにある。

② ブックの操作をきっかけに動くプロシージャはThisWorkbookモジュール、各シートの操作をきっかけに動くプロシージャは各シートモジュールに作成する。

③ オブジェクトボックスとプロシージャボックスでそれぞれ、何のどんな操作がきっかけでプロシージャが動くことにするかを選択すると、自動的にそれ用のプロシージャが作られる。

すべてのイベントについては紙面の都合で掲載できませんでしたが、こちらも補足サイトを参考にしてください。

第 10 章

全体像の整理と
これからのために
知っておきたいこと

実際に読み書きする
VBAという言語の全体像

　ここまで、Excel作業の自動化のためにプロシージャの中に追加するさまざまな処理や構文の書き方を紹介してきました。このプロシージャの中に登場するVBAという言語の単語の分類や記号、構文は、すべて以下の図で網羅して把握することができます。これまで見てきた個別の用語や記号について、VBA全体における役割や位置づけを理解することによって、文法的な理解が深まります。

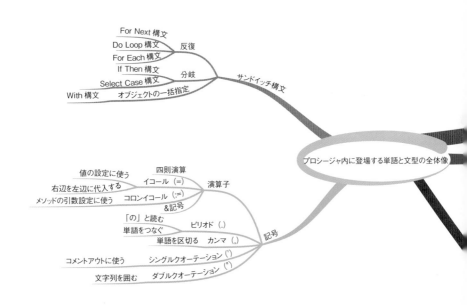

日常的にExcelマクロを作業効率化のために使っていくために、最初から細かい文法知識までマスターする必要はありません。しかし、基礎はやはり大切です。その全体像だけでも押さえておくだけで、知識が整理され、スムーズなマクロの活用につながっていきます。

　本章では、ここまでの復習も兼ねて、そのような個別の単語や文法につ

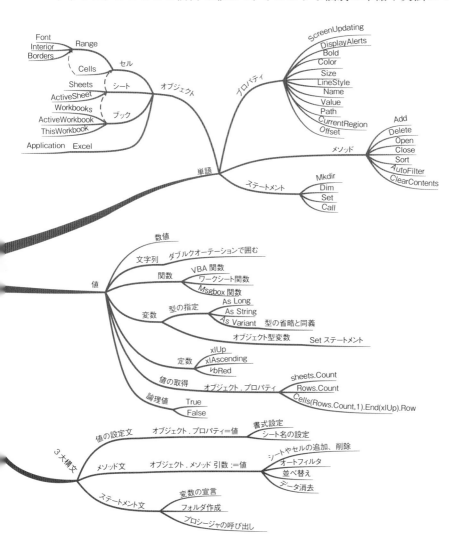

いて概略を解説します。しかしながら、膨大なVBAというプログラム言語のすべてを書き尽くすには紙面が足りませんので、より詳細な情報、また本書に書ききれなかったテクニックについては、本書の補足サイトにリファレンス、FAQのコーナーを設け、随時更新して参りますので、ぜひ参照してください。

https://sugoikaizen.com/excelvba/

単語の4分類

オブジェクト

Excelでの処理における操作対象。Excelの操作対象といえば、セルやシート、ブックですね。以下のような単語で指定することができます。

- セル　 →　Range、Cells
- シート　→　Sheets、ActiveSheet
- ブック　→　Workbooks、ActiveWorkbook

Excelそのものを指す言葉として、Applicationという単語もあります。これら、操作対象を指す単語を総称して「オブジェクト」といいます。

プロパティ

たとえば、セルについての情報は、中に入っている「値」や文字の「色」、「サイズ」など、さまざまな種類があります。そのような情報の種類を指定する役割のValueやColor、Sizeなどの単語を総称して「プロパティ」といいます。

メソッド

動作命令をおこなう単語で、英単語の動詞が使われます。Add、Delete、

Open、ClearContents、Sortなどです。

ステートメント

　具体的な操作をおこなうステートメントとしてはフォルダを作るMkdir
やファイルを移動するNameなどがありますが、ほかにも

- 変数宣言のDim
- オブジェクトを変数に入れるSet
- 別のプロシージャを呼び出して実行するCall

など、コードの先頭にほかの単語とピリオド（.）で接続されずに書かれる
単語は「ステートメント」という分類に入ります。サンドイッチ構文、たと
えばFor Next構文のForやNextも、それぞれForステートメント、Nextステー
トメントという分類になります。

　なお、プロシージャの先頭にあるSubという単語も、Subステートメント
という単語として説明されます。また、プロシージャの先頭はSubばかり
でなく、他人が作ったプロシージャでPrivateやPublic、Friend、Static、
Functionなどから始まるものに出会うこともあるかもしれません。これら
を含めてステートメントにはどんなものがあるかについては、補足サイト
のほうで解説します。

値（あたい）

　値とは、数値や文字列のことです。また、その数値や値を作るための数
式や関数なども、ここでは「値」と位置づけます。

　セルに入力するデータや塗りつぶしの色、シートの名前、データの行数
など、さまざまな「値」を指定しながら処理をプロシージャに加えていく
際に使われるものです。

数値

　0、1、2、3……といった数値です。そのままプロシージャ内で入力することができます。

文字列

　数値以外の漢字、ひらがなカタカナ、アルファベットなどからなる文字です。プロシージャ内で入力する際は、ダブルクオーテーション（"）で囲んで入力します。

関数

　関数名の前にWorksheetFunctionという単語をつける関数と、つけない関数の2種類があります。また、MsgboxやInputBoxなどの関数もあります。どのような関数があるかについても、補足サイトで紹介しています。

変数

　さまざまな値を一時的に入れておくことのできる文字。自由な文字列を使用できます。標準モジュールの先頭にOption Explicitという1文があると、その標準モジュール上ではDimステートメントによって「変数の宣言」をした変数しか使えなくなります。この設定により、変数の入力ミスによるエラーの原因を容易に発見できるようになります。

　変数には「型」というものがありますが、これについては本章で後述します。

定数

　本書で出てくるものとしてはvbRedやxlUp、xlAscendingなどがありますが、先頭にvbやxlとついた単語を「定数」と分類します。これらは、本来は数値で指定するものなのですが、数値では意味がわかりづらいので、いくつかこのように意味がわかりやすい単語がVBAに用意されています。

　ちなみに、色について用意されている定数には以下があります。

- ・vbBlack
- ・vbRed
- ・vbGreen
- ・vbBlue
- ・vbYellow
- ・vbMagenta
- ・vbCyan
- ・vbWhite

　色の三原色である赤、青、緑の3つと、印刷で使われる4色（CMYK……シアン、マゼンタ、イエロー、ブラック）の4つ、それと白が用意されているわけですね。

　変数と同じように、定数は自分で作ることもできます。Constという単語を見かけたら、それは定数を宣言しているものだと読みときます。たとえば、

```
Const i = 100
```

という処理は、「定数iを宣言して100を入れる」という処理です。つまり、定数iを100として使うわけです。

　変数との性質の違いは、この定数iの中身を変えられないことです。「変数だって、1回100を入れて、そのあと別の値を入れる処理を書かなければいいんじゃないの？」という指摘はまさにそのとおりで、自分でプロシージャを作る際にはこれを知らなくても困ることはありません。ただ、意味はわかるようになっておきたいものです。

値の取得

　本書では、値を取得する以下のような処理を紹介してきました。

- シート数を調べるSheets.Count
- データの最終行数を調べるCells(Rows.Count,1).End(xlUp).Row
- プロシージャを実行しているブックの保存場所を指すThisWorkbook.Path

　これらのように、プロシージャの実行時点における何らかの値をその都度調べて「値」として使うフレーズを「値の取得」という分類で整理します。

論理値

　TrueとFalseの2つは、「論理値」という分類で整理されます。

「処理」の文型の3種類

値の設定文

【文型】
　オブジェクト.プロパティ = 値
　※セルへの入力、セルの書式設定、シート名の変更など

メソッド文

【文型】
　オブジェクト.メソッド
　　または
　オブジェクト.メソッド 引数:=値
　※セル・シートの挿入や削除、ブックを開くまたは閉じる、セルの値を
　　消去など

ステートメント文

【文型】※Mkdirの場合
　Mkdir フォルダを作りたい場所¥作りたいフォルダの名前

※フォルダの作成・削除、ファイルのコピー、削除、移動、名前の変更などができます。これらの処理の書き方は、補足サイトのほうでご確認ください。

6つのサンドイッチ構文

【構文名】   【機能】

・For Next（P.87） → 反復（通常の繰り返し処理。DoLoopとの使い分けは好みの問題）

・DoLoop（P.224） → 反復（ファイル名一覧を作るときに必須）

・For Each（P.349） → 反復（必須度は低いが、読めるようにはなっておきたい）

・If Then（P.83）   → 分岐（2つまでの分岐）

・Select Case（P.350） → 分岐（3つ以上の分岐はぜひこれで）

・With（P.100）   → オブジェクトの一括指定

いろいろな記号

四則演算

これはセルでの数式と同じです。+、-、*、/の4種類です。

＝（イコール）

これは2通りの使われ方があります。

①「値の設定文」での使用

→この場合は、「右辺の値を左辺に代入する」という「代入演算子」としての機能になります。

② If Then構文での条件式での使用（P.84を参照）

Like演算子

　If Then構文の条件式が部分一致の場合は、イコールの代わりにこのLike
という単語を使います。

:= （コロンイコール）

　メソッドの引数を設定するのに使います。ここで普通のイコール（=）
を使ってしまわないように要注意です。

&

　結合演算子。入力の際、前後には必ずスペースを入れます。

. （ピリオド）

　オブジェクト、プロパティ、メソッドの各単語をつなげる記号です。「の」
と訳して読むと、処理内容がわかりやすくなります。

, （カンマ）

　メソッドの引数が複数ある場合、カンマで区切って入力します。関数の
引数が複数ある場合にも、その区切りに使います。

_ （スペース＋アンダーバー）

　プロシージャの中で改行するときに使います。

' （シングルクオーテーション）

　コメントを書くとき、またはプロシージャの一部をコメント化する際な
どにも使います。

" （ダブルクオーテーション）

　文字列は、ダブルクオーテーションで囲んで入力します。

本文で解説していない
2つのサンドイッチ構文

サンドイッチ構文には6つの種類がありますが、以下の2つは本文では解説していません。

・For Each構文
・Select Case構文

これらも、「他人のマクロに出てきたときに読めるようになる」という目的で、かんたんに知っておきましょう。

For Each構文

【構文】

For Each 変数 in コレクション

←— この間に繰り返したい処理を書く

Next

この構文は、「コレクション」の理解がポイントになってきます。コレクションとは、かんたんにいうと、「同じ種類の複数のオブジェクトがまとまったもの」です。たとえば、ブックの中に複数のシートがある場合、その全シートをまとめた1つのグループとして、Sheetsというコレクションが存在します。そのSheetsというコレクションに含まれるすべてのシートに対して、1つずつ、同じ処理を繰り返していくことができるのがFor Each構文です。

たとえば、複数のシートがあるブックの中で、シート名の1文字めが「●」になっているシートを削除する処理をFor Each構文を使って書くと、

以下のようになります。

```
Dim ws As Worksheet
For Each ws In Sheets
    If Left(ws.Name, 1) = "●" Then
        ws.Delete
    End If
Next
```

　最初にwsという変数を宣言していますが、これは全シートの集合体であるSheetsコレクションに含まれる1つずつのシートを指定するために使われる変数です。「Worksheet」の略ということで、適当にwsとここではしています。

　この処理は、Sheetsというコレクション、つまりブック内の全シートの1つずつに、For EachとNextの間に書かれている処理、つまりシート名の1文字めが「●」になっているシートを削除するという処理を繰り返すものです。日本語で説明しようとすると、

- 全シート（Sheets）に含まれる1つずつのシート（ws）に対して、Nextとの間に書かれている処理を繰り返す
- 繰り返す処理とは、シートの名前（ws.Name）の1文字め（Left関数で左から1文字めを取った値）が"●"だったら、そのシート（ws）を削除する

と解読できます。

　また、シートの指定がSheets("Sheet1")のように、なぜ「Sheets」と複数形なのかという点も、このコレクションを理解することで解明します。

Select Case構文

　If Then構文と同様に、条件によって複数の処理の選択肢から1つを実行するものですが、その選択肢が3つ以上の場合はこのSelect Case構文を使い

ます。

【構文】
　Select Case 評価対象（セルとか変数とか）
　　　　Case 条件1
　　　　　　処理1
　　　　Case 条件2
　　　　　　処理2
　　　　Case Else
　　　　　　処理3
　End Select

ポイントは以下になります。

・Select Caseで始まり、End Selectで終わる
・Select Caseのあとに指定した、評価対象（セルや変数）などの値が、
　End Selectまでの間に書かれたCaseの中で当てはまるものを選び、そ
　の次の行に書かれた処理を実行する

さっそく実例を見て、上記の説明を理解しましょう。

【例】
　A1セルの数字が80以上ならA、50以上ならB、それ以下ならCをB1セル
に入力する場合

```
Select Case Range("A1")
    Case Is >= 80 ←①
        Range("B1") = "A"
    Case Is >= 50 ←②
        Range("B1") = "B"
    Case Else ←③
        Range("B1") = "C"
End Select
```

Select Caseのあとに書かれたRange("A1")の値が判定対象になります。

①では、その値が80以上の場合、その次の行の処理をおこないます。

②では、その値が50以上の場合、その次の行の処理をおこないます。

③では、その値が上記のいずれでもない場合、その次の行の処理をおこないます。

「Select Case」という構文名から意味を考えましょう。Select Caseとは、「ケース（場合）を選べ」という意味合いになります。

Select CaseからEnd Selectまでの間に書かれているCaseは、すなわち判定対象であるRange("A1")を表しています。そして、Caseのあとに「Is」という演算子が書かれていますが、これはこのように条件式に比較演算子を使うと自動的に入力されるものです。次のように、比較演算子を使わない場合は出てきません。

```
Select Case Range("A1")
    Case "月曜"
        MsgBox "今週目標を提出してください"
    Case "水曜"
        MsgBox "中間集計を提出してください"
    Case "金曜"
        MsgBox "今週結果を提出してください"
    Case Else
        MsgBox "今日も頑張ってね"
End Select
```

A1セルの値が「月曜」なら「今週目標を提出してください」

A1セルの値が「水曜」なら「中間集計を提出してください」

A1セルの値が「金曜」なら「今週結果を提出してください」

A1セルの値がそれ以外なら「今日も頑張ってね」

……とメッセージボックスを表示させる処理です。

以下、Select Case構文のバリエーションをいくつか挙げておきます。

Caseのあとに書く条件をカンマ (,) で区切る

こうすると、そのいずれかに該当したら、次の行の処理が実行されます。

```
Select Case i
    Case 1, 2
                    ←変数iが1か2のときに実行する処理を書く
    Case 3, 4, 5
                    ←変数iが3か4か5のときに実行する処理を書く
    Case Else
                    ←変数が上記以外のときに実行する処理を書く
End Select
```

数字の範囲で条件を指定する

```
Select Case i
    Case 1 To 3
                    ←変数iが1～3のときに実行する処理を書く
    Case 4 To 7
                    ←変数iが4～7のときに実行する処理を書く
    Case Else
                    ←変数が上記以外のときに実行する処理を書く
End Select
```

「Select Case True」と1行めに書いてあるもの

これは、複数の論理式を使う場合に便利な書き方です。

```
Select Case True
    Case 論理式1
                ←──論理式1が真の場合に実行する処理を書く
    Case 論理式2
                ←──論理式2が真の場合に実行する処理を書く
    Case 論理式3
                ←──論理式3が真の場合に実行する処理を書く
    Case Else
                ←──すべての論理式が偽の場合に実行する処理を書く
End Select
```

If Then構文でも、3つ以上の条件分岐はじつはElseIfという単語を使うことで可能なのですが、使いやすさという点で、圧倒的にSelect Caseが優れています。

変数について理解を深める

変数の「型」とは　～宣言してもいいけど、面倒なら しなくてもいい

　本書では、大半のプロシージャで、たとえば変数名「i」という変数を宣言する場合

```
Dim i
```

とだけ書いてきました。しかし多くの場合、変数に入れる値の種類によって、「変数の型」というものが指定されています。まず、その意味を理解できるようになりましょう。

　たとえば、整数を入れる変数であれば、

```
Dim i As Long
```

となります。このAs以下の「As Long」の部分が「型の指定」をしているところです。この場合、「Long型の変数iを宣言した」ということになります。どんな効果があるかというと、Long型の場合、その変数には整数しか入れられなくなるのです。

　では、文字列を変数に入れる場合はなんと書けばいいかというと、以下のようになります。

```
Dim i As String
```

　String型の変数は、文字列を入れることができます。次のプロシージャの動作で、このことを確認してみましょう。

```
(General)
    Option Explicit

Sub sample()
    Dim i As Long
    i = 100
    MsgBox i
End Sub
```

　整数が入るLong型で変数iを宣言し、その変数iに整数である100を入れ
て、メッセージボックスで変数iの値を表示するプロシージャですね。この
プロシージャを実行すると、次のように問題なく動作して、メッセージ
ボックスが表示されます。

　では、次のように、整数しか入らないLong型で宣言した変数iに「ABC」
という文字列を入れようとするとどうなるでしょうか。

```
(General)
    Option Explicit

Sub sample()
    Dim i As Long
    i = "ABC"
    MsgBox i
End Sub
```

これを実行すると、次のようなエラーメッセージが出て、マクロが止まってしまいます。

変数の型が違う、ということですね。変数を文字列に入れるには、次のようにString型という、文字列を入れられる型を指定する必要があります。

```
(General)
    Option Explicit

Sub sample()
    Dim i As String
    i = "ABC"
    MsgBox i
End Sub
```

これなら、次のようにちゃんと動作して、メッセージボックスが表示されます。

　このように、変数には型というものがいくつかあります。参考までに補足サイトのリファレンスをご覧ください。最初からすべて覚える必要はありません。余裕が出てきたら、少しずつ覚えていけばいいものです。

変数の型の指定はしなくていい、ただ意味はわかったほうがいい

　ここで、そもそもなのですが……変数の「型の指定」は、書かなければいけないのでしょうか。

　たとえばLong型の場合、厳密には-2,147,483,648 〜 2,147,483,647までの整数のみ入れることができます。つまり、2,147,483,647……約21億以上の整数は入れられなくなるということです。それ以上の数字を入れる必要がある場合はほかの型を使うということになりますが、そんな使い分けを考えることなど面倒なわけです。

　結論からいえば、書くのが面倒だったり、どの型を使えばいいのかわからないときは、型の指定はしなくてもいいです。Dim iだけでいいのです。

　では、型の指定をしないのはどういう状態なのでしょうか。それは、「Variant型」という型を指定したのと同じ状態になるのです。たとえば、

```
Dim i
```

は、以下と同じ意味になるということです。

```
Dim i As Variant
```

Variant型の変数というのは、数値でも文字列でも小数が含まれていても
なんでも入れられる変数です。この型指定は、そのように何でも入れられ
る度量の大きい型であるために、「消費メモリが大きくなるから処理スピー
ドが遅くなる」という意見もありますが、もう今日の性能が進化したパソ
コンではそうした影響の心配はありません。型を使い分けようとすること
でハードルが上がるなら、そんなものはまったく必要ないということです。

　ただ、他人が書いたプロシージャを読むとき、変数の宣言で型の指定が
してあったら、その意味はぜひ理解したいものです。たとえば、

```
Dim i As Single
```

というSingle型の変数宣言。これは、「この変数iには、小数点以下を含む数
値も入る」ということです。そのような意味はわかったほうがいいですね。

複数の値を入れられる変数「配列」

　変数は1度に1つの値しか入れることはできませんが、一方で複数の値
を入れることができる変数の一種として、「配列」というものがあります。
配列も、変数と同じように、Dimステートメントで宣言します。ここでは、
配列の使い方を覚えるというよりも、Dim i(2)などの処理を見たら「これ
は配列だ」とわかるようになることを目的に解説します。

　次のプロシージャを見てください。

```
(General)
    Option Explicit

    Sub sample()
        Dim i(2)
        i(0) = 1
        i(1) = 2
        i(2) = 3
        MsgBox i(0)
        MsgBox i(1)
        MsgBox i(2)
    End Sub
```

　Dim i(2)で、3つの部屋を持つ配列iが用意されます。3つの部屋にはそれぞれ番号がついていますが、その番号は0から始まります。配列iの0号室i(0)に1、1号室i(1)に2、2号室i(2)に3を入力しています。

　これを実行すると、メッセージボックスで順番に1、2、3と表示されます。

　この配列の使い方を知っている最大のメリットは、データ量が多くて普通のやり方だと処理に時間がかかるようなマクロの実行スピードを劇的に上げることにあります。こちらについても、紙面の都合で詳細は補足サイトをご覧ください。

　本章ではあえて「具体的に実務でどう活用するか」という観点ではなく、文法的な説明に終始しました。理由としては、このような文法的な解説を理解できるようになることも、実務においてExcelのマクロ機能を確実に活用していくために重要な成長目標だからです。

Excel VBAにおいて生成AIは
どう活用できるか

「ChatGPT」などの生成AIの登場により、Excelにおいても生成AIをどう活用するかという点に大きく注目が集まるようになってきました。Microsoftからも、生成AIサービス「Microsoft 365 Copilot」「Copilot Pro」が提供されています。これは、Word、Excel、PowerPointなどで、生成AIによる作業支援機能が利用できるようになるというものです。また、AIを駆使した関数が使えるようになるアドイン（Excelに機能を追加できるツールのこと）なども登場してきています。

現時点では、Copilotは利用できる環境が非常に限られていることから、本書では取り上げません。本書では、より利用者数が多いChatGPTに絞って、Excel業務にてどのように活用できるかの事例をご紹介します。

「生成AIがあれば、VBAを勉強しなくてもマクロが作れるようになるんでしょうか……」

そんなご質問が増えています。
結論としては、以下になります。

「出てきたコードを読んで正しく動くかを判断できるなら、大いに活用できます」

Excelマクロで効率化を目指していくなら、結局VBAの勉強は必要ですが、生成AIは大変役に立ちます。その活用法は、大きく次の3つです。

・サンプルコードを書いてもらう
・既存のコードを読ませて解説してもらう
・エラーの原因を調べてもらう（デバッグ支援）

サンプルコードを書いてもらう

「複数のシートにあるデータを1つのシートにまとめるVBAコードを教えてください。」

というプロンプト（ChatGPTへ依頼や指示をする文章）に対する、ChatGPT
の回答がこちらです。このプロンプトはかなりいい加減な書き方をしてい
ますが、それでもこれだけの回答を瞬時に表示してくれます。

ChatGPT

複数のシートにあるデータを1つのシートにまとめるためのVBAコードを作成するには、以下の手順を踏
むことになります。このコードは、Excel内の全てのシートからデータを収集し、新しいシートにそれらをま
とめることを目的としています。

1. **新しいシートを作成**: データを集約するための新しいシートを作成します。
2. **全シートをループ処理**: ワークブック内の全てのシートをループ処理し、それぞれからデータを収集しま
   す。
3. **データをコピー**: 各シートからデータをコピーし、新しいシートに貼り付けます。

以下はその基本的なVBAコードの例です。

```vba
Sub 合計シートにデータ集約()
    Dim ws As Worksheet
    Dim summarySheet As Worksheet
    Dim nextRow As Integer

    ' 新しいシートを作成
    Set summarySheet = Sheets.Add
    summarySheet.Name = "集約データ"

    ' 集約シートの次の空行を追跡
    nextRow = 1

    ' すべてのシートをループ処理
    For Each ws In ThisWorkbook.Worksheets
        ' 集約シート自体は除外
        If ws.Name <> summarySheet.Name Then
            ' データをコピー
            ws.UsedRange.Copy summarySheet.Cells(nextRow, 1)

            ' 次の空行を更新
            nextRow = summarySheet.Cells(Rows.Count, 1).End(xlUp).Row +
        End If
    Next ws
End Sub
```

プロシージャもコメントまで書いてくれて、大変わかりやすいものになっています。

このように、生成AIが書いてくれたコードを元にして、意図どおりのプログラムを作成するのは、VBAに限らず多くのエンジニアたちが実践しています。ここまでのクオリティで、しかも所要時間はわずか数秒と、人間にはとてもかなわない速さです。いちからコードを考えて書く労力は大幅に軽減されています。

しかし大前提として、一字一句完璧に自分が望む理想のコードを出してくれることは少なく、多くの場合において自分の手で調整を加える必要が出てきます。やはり、本書でご紹介した程度の、最低限のVBAの基礎知識は必要です。

既存のコードを読ませて解説してもらう

「前任者が書いたマクロがまったくわからないので、助けてほしい」

そんなヘルプ依頼をいただくことがあります。

次の画像は、ChatGPTにとあるプロシージャについて「その処理内容を教えてください」と依頼した結果です。

あなた

このVBAコードはどんな処理をしているのか教えてください。

```vba
Sub sample()
  Application.ScreenUpdating = False
  Dim i As Long, ws As Worksheet, wsRate As Worksheet, r As Long
  Set ws = Sheets("A")
  Set wsRate = Sheets("B")

  wsRate.Range("B11:C100").ClearContents

  With ws人員一覧
    r = 11
    For i = 3 To .Cells(Rows.Count, 6).End(xlUp).Row
      If WorksheetFunction.CountIf(wsRate.Columns(2), .Cells(i, 6)) = 0 Then
        If .Cells(i, 6) <> "ACOOIU" Then
          wsRate.Cells(r, 2) = .Cells(i, 6)
          wsRate.Cells(r, 3) = .Cells(i, 8)
          r = r + 1
        End If
      End If
    Next
```

ChatGPT

このVBAコードは、Excelのワークシートを操作するためのものです。以下に、コードが行っている処理を順に説明します。

1. `Application.ScreenUpdating = False`:
   * これは、コードの実行中にExcelの画面の更新を無効にするためのものです。これにより、コードの実行が高速化されます。
2. 変数宣言:
   * `i`、`r`という`Long`型のカウンター変数、`ws`と`wsRate`という`Worksheet`型の変数が宣言されています。
3. ワークシートの設定:
   * `ws`は"A"シートに、`wsRate`は"B"シートにそれぞれ設定されています。
4. `wsRate.Range("B11:C100").ClearContents`:
   * "B"シートのB11からC100までの範囲のセルの内容をクリアします。
5. `With ws人員一覧`:
   * このコードブロックは、`ws人員一覧`ワークシートを参照するためのものですが、`ws人員一覧`がこのコード内でどこにも定義されていないため、恐らくエラーを引き起こします。おそらく`ws`または`wsRate`のいずれかを指していると思われます。
6. データの転記処理:
   * ループを使用して`ws人員一覧`シートの6列目の各行について、以下の処理を行います。
   * `wsRate`シートの2列目に`ws人員一覧`シートの6列目の値が存在しない場合、かつその値が"ACOOIU"でない場合、`ws人員一覧`シートの6列目と8列目の値を`wsRate`シートのB列とC列にそれぞれコピーします。

コードは基本的に2つのシート間で特定の条件を満たすデータを転記するためのものですが、`ws人員一覧`に関する定義が不足しているため、そのままでは正しく動作しない可能性があります。

　このような形で、処理内容を解説してくれるだけでなく、エラーの可能性にまで言及していることから、実行前にプロシージャの不備を事前に発見するのにも役立ちます。

　ただし、ChatGPTはこの業務の背景や目的まではわかりません。やはりそこは、人間が確認して業務を進めていかなければなりません。

エラーの原因を相談してみる

　実行したマクロがエラーになった際に、その原因と対処を調べる活用法を見てみましょう。たとえば、次の画像内にあるプロシージャを実行すると、エラーメッセージが出てマクロの実行が止まります。

　「アプリケーション定義またはオブジェクト定義のエラーです。」

　このメッセージでは、具体的な問題がわかりません。このエラーの原因を筆者の言葉で説明すると、次のような文章になります。

　「これは、変数iに何も値を代入していない状態でCellsの行指定に使っていることでエラーになっています」
　「変数iはLong型で宣言されているので、数値を代入する処理をしていない状態では0が入っています。その状態でCellsの行指定に使ってしまうと、それは0行めのセルを指定しようとしていることになります」
　「しかし、Excelのシートには0行めなんてないわけなので、そこでエラー

になってしまっているのです」

　では、このエラーの原因を、ChatGPTに聞いてみた結果を見てみましょう。

You
次のVBAプロシージャがエラーになってしまいます。その原因と対処法を教えてください。

```
Sub sample()
  Dim i As Long
  Cells(i, 1) = 1
End Sub
```

ChatGPT
このVBAプロシージャで問題となっているのは、変数 `i` が初期化されていない点です。`Dim i As Long` という行では `i` を長整数型として宣言していますが、実際に値を代入していないため、`i` はデフォルトで 0 になります。

VBAでは、`Cells` メソッドを使用する際に行番号や列番号が 0 以下の場合、実行時エラーが発生します。このプロシージャでは、`Cells(i, 1)` は `Cells(0, 1)` として解釈され、これがエラーの原因です。

対処法としては、`i` に適切な行番号を代入することです。例えば、1行目の1列目のセルに値を代入したい場合は、次のように `i` に1を代入します。

```vba
Sub sample()
    Dim i As Long
    i = 1    ' iに1を代入
    Cells(i, 1) = 1
End Sub
```

この変更により、`i` は1に設定され、`Cells(i, 1)` は `Cells(1, 1)`、つまりエクセルの1行目の1列目を指すようになり、エラーは解消されます。

　この回答が表示されるまでの所要時間も、わずか数秒です。どこまで期

待どおりの回答が返ってくるかはケースバイケースですが、試してみる価値は大いにあります。

　ちなみに、上記の回答では「Cellsメソッド」という表記がありますが、「Cellsはメソッドではなくてオブジェクトではないのか？」という疑問が生じます。その点について、続けて質問してみた内容と回答がこちらです。

✿ You

Cellsをメソッドと書かれていますが、これはオブジェクトの誤りではないでしょうか。それともメソッドで正しいのでしょうか。

⊕ ChatGPT

ご指摘の通り、`Cells` は VBA においてメソッドではなく、オブジェクトです。正確には、`Cells` は Excel VBA の `Worksheet` オブジェクトの一部であり、特定のセルまたはセル範囲を参照するために使用されます。私の以前の回答で誤って「メソッド」と表現してしまったことを訂正いたします。

`Cells` オブジェクトは、一般的に行番号と列番号を引数として取り、その交点にあるセルを指します。例えば `Cells(1, 1)` はシートの1行目の1列目（通常 "A1" と表示されるセル）を指します。このオブジェクトを使うことで、セルの値の設定や取得、その他の属性の変更などが可能です。

　「生成AIの回答は100％正しいとは限らない」というのは生成AI活用における大前提です。しかし、気になったところはこのように確認していくと情報の精度が高まってくるのも特長です。

　実際の現場での活用においては、プロンプトの書き方に慣れてくると、ほぼそのまま使えるプロシージャを書いてくれるケースも多くあります。生成AIの活用によって、Excelマクロの作成時間を大幅に短縮する可能性は非常に大きいといえます。

なんでもかんでもExcelで
済ませようとしない

■「脱Excel」を視野に入れる

　本書では、Excel作業を自動化することで業務を効率化する方法を解説してきました。しかし、業務や用途によっては、そもそもExcelでやらないほうがいいこともあるのが現実です。現に、弊社では多くの企業からいただくさまざまな業務改善のご相談について、

　「この業務はExcelでやろうとはせずに、専用のサービスを使ったほうがいいですね」

と申し上げることが多々あります。このように、従来はExcelでやっていた業務においてExcelを使わない選択をすることを、俗に「脱Excel」と言うことがあります。

■ 業務によっては専用ソフトやシステムを使うほうが効率的

　Excelでやらないほうがいい代表的な業務をいくつか挙げます。

- ・データベース
- ・勤怠管理
- ・経費精算
- ・仕訳作成
- ・経理会計
- ・営業管理
- ・販売管理
- ・在庫管理
- ・給与計算

・人事評価
・採用管理
・プロジェクト管理

　このような業務には、Excelではなく専用ソフトやシステムを使うことを推奨しています。

　たとえば、顧客一覧などのデータベースなどを、マクロを駆使してExcelでなんとかして作ろうとしてしまうケースが散見されます。それを使うのが自分1人か、多くても同じ部署内の数名程度という規模感なら、うまく運用することも不可能ではないかもしれません。しかし、「それが動かなくなると会社単位や部署単位で基本業務が回らなくなってしまう」といった基幹システム（組織に必要な業務をおこなうのに必須のITシステム）をExcelで作ろうとするのは、言語道断と言っても過言ではありません。基幹システムをExcelでまかなおうとするのは、非常に危うく不安定な状態をもたらすので、厳禁と考えるのが賢明です。大まかな判断基準として、「みんなで共有して使う業務ツール」はExcelで用意しないほうがいいです。

おわりに
本書の真意と使命

　私は大学時代、ジャズ研究会に所属し、ベースを担当していました。ジャズの演奏は譜面どおりそのまま楽器を奏でればいいというものではなく、アドリブが重視される伝統文化のため、即興で演奏する知識や技術が必要になります。その即興演奏を楽しむためには、和音や音階など、一定の音楽理論を勉強する必要があります。

　ではどこまでの理論が必要かといえば、趣味で演奏を楽しむアマチュアと職業として演奏をするプロとでは当然レベルが異なります。趣味でジャズを始めるにあたって、プロと同等の知識を最初に学ばなければならないとしたら、ハードルが高すぎて、初心者はだれも手が出せなくなってしまいます。じつはいくつかの基本を押さえれば、まずはそれなりの即興演奏なら楽しめるものなのです。まずはそこからスタートして、演奏を楽しみつつ、実践の中で徐々に高度な理論が身についてくるものです。

　本書の使命は、まさにそのような日常業務の効率化のために、Excelのマクロ機能をまずは気軽に楽しんでいただくことにあります。そして最終的にはパソコンで自動化できる作業はすべて自動化して定型的な事務作業の時間を最小化し、人間にしかできない仕事のための時間を最大化していただくこと、その結果として仕事の生産性を上げ、業績の向上を支援するきっかけになることを使命としています。

　これに基づき、本書の描く最終的なビジョンは、「日本のすべての社会人が、デスクワークにおける面倒な作業において、Excelマクロを当たり前のように使いこなしている状態」の実現です。本書で解説したのは、具体的なプログラミングのやり方です。プログラミングはじつに奥が深く、決して甘いものではないのですが、このビジョンのため、必要最低限の内容に絞り込みました。プログラミングという仕事に誇りとこだわりを持つ本職のプログラマーの方からすれば、指摘、批判したいことがたくさんある内容になっています。

ただ、そのようなプロのこだわりは、一般的な社会人の日常的なExcelマクロ活用の普及に決してプラスに働くものではありません。弊社も、クライアント企業から依頼を受けた高度なExcelマクロの開発では膨大な実績があり、現在も日々数多くの開発をこなしている経験値から、もっとお伝えしたいことがたくさんあります。しかし、そのような知識は本書の内容を実践できるようになった後、その重要性を実感するとともに認識できるようになるものでもあります。

　本書の使命は、あくまでも「プログラミングをもっと日常業務で普及させ、日本の人と企業の生産性を高めること」です。その方針を貫き、また1万人以上の受講者の業務効率を劇的に改善してきた実績を誇る弊社のExcel研修を凝縮した内容になっていることから、業務改善効果は絶対的なものとお約束します。

プログラミングを学ぶことによる 仕事力そのものの向上とは

　近年、小学生の時期からプログラミングを学んでいるのをよく見かけるようになりました。学校教育でも、プログラミング教育の重要性が認識され始めています。私は、ITに関係しない職種の方でも、ぜひ積極的にプログラミングをやってみることをおすすめしたいと思っています。

　仕事がうまく進まない時の大きな原因の1つが、「あいまいな指示や依頼」です。適当なコミュニケーションでは相手と自分の認識に相違が生まれるのは当然なのですが、この問題は大昔から依然として繰り返され、なかなか改善されません。しかし、プログラムはあいまいな指示では動作しません。全体像の設計に基づく、明確かつ具体的な表現による指示が必要になります。「整理整頓して能率を上げろ」ではなく、「請求書ファイルはキャビネットのA5番の棚に格納、交通費伝票は伝票引き出しの3段めにしまえ」……などのような詳細まで具体的に作業内容を指示する必要があります。また、その内容をきちんと相手が理解できる言語で文章にして伝えることで、まちがいがなくなるのです。

プログラミングに慣れると、このような思考やコミュニケーションが習慣づくことにより、仕事がスムーズに進むという副次的効果もあります。そのようなメリットのあるプログラミングの中でも、多くの方が日常的に使っているExcelでのプログラミング言語であるVBAが非常にとっつきやすいので、はじめてみてはいかがでしょうか。

最後に、本書の執筆にお力を貸していただいた方々に御礼申し上げます。
前作『たった1日で即戦力になるExcelの教科書』に続き今回もお世話になった技術評論社の傳智之さん。TwitterやFacebookでの進捗ポエムはいいプレッシャーになりました（笑）。
画像作成や内容確認で執筆を支えてくれた弊社スタッフの鹿島直美さん、油片愛翔さん、山岡誠一さん、佐藤佳さん、みなさんの力なくしてこの本は完成しませんでした。
存在だけで私に力を与えてくれた我が子たち、「ゆたか」と「ひかり」にも感謝しています。
そして、弊社Excelセミナーにご参加くださった方々、弊社にマクロの開発をご依頼くださっている弊社クライアント企業の皆様。皆様との仕事の中で、私たちは経験値を高めて参りました。

私の会社、株式会社すごい改善は、次の2つを使命だと定めています。

- Excelによる苦しみからの解放と、生産性と充実感の向上による喜びの創造
- Excelの教育と効率的活用を通して人と企業の成長に関わり国益に資する

Excelの自動化ツールを作るスキルによって、自分の仕事の価値を高め、そして仲間の仕事の価値をも高める仕組みを作ることができます。すべての社会人がこのようなスキルを持つ社会の実現に向けて、この本を世に出させていただける幸運に感謝します。

株式会社すごい改善　代表取締役

吉田 拳

索引

さ

著者紹介

吉田 拳 (よしだ けん)

Excel業務改善コンサルタント。Excel研修講師。株式会社すごい改善
代表取締役。

1975年生まれ。東京外国語大学卒。音楽業界での某大物歌手の
マネージャー職、複数の企業でのマーケティング業務を経てメルシャン
(株)に入社。同社勤務時代に、Excelを触ったこともなかった状態から、
営業戦略用のデータ分析を担当し悪戦苦闘する中で、「企業の生産性
をより上げるためには、社員のExcelスキルを向上する必要性がある」と
痛感。業務効率化のためのExcel技術を追求し始め、社内の上位数%
にのみ与えられるS評価を獲得する。その経験から「Excelを武器に人と
企業が成長できるサポート」の実現を目指す。

2010年、(株)すごい改善を設立、代表取締役に就任。実務直結主義
のExcel研修を毎週開催、高額の受講料にも関わらず、全国から受講
者が参加し、常に2ケ月先まで満席状態が続く。また、「大手IT企業に
おける生産性の向上・残業代などのコスト削減」「飲食店チェーンや工
務店、メーカー、会計事務所などのシステム開発」「戦略的経理による
キャッシュフロー改善」など、業種・業態・職種を問わず、Excelを駆使し
たあらゆる分野での業務改善の専門家として知られる。これまでの指導
実績は、中小企業から大手企業まで、1万名以上。Excel研修開催実
績は600回を超える。

著書に『たった1日で即戦力になるExcelの教科書』『マンガ たった
1日で即戦力になるExcelの教科書』(技術評論社)、監修に『1万人の
業務効率を劇的に改善したExcel速技BEST100』(PHP研究所)が
ある。

日本経済新聞、週刊ダイヤモンド、プレジデントなど取材記事掲載多数。

公式サイト：https://sugoikaizen.com/
X：@sugoi_kaizen

装丁
水戸部 功

カバーイラスト
爽々

本文デザイン
二ノ宮匡 (nixinc)

DTP
SeaGrape

編集
傳 智之

マンガ　たった1日で即戦力になる Excelの教科書

吉田拳 著、眞蔵修平 マンガ

10年支持され続ける
Excel定番書のエッセンスをコミック化！

「おまえが毎日夜10時まで残業しても終わらないその仕事、
アイツなら2秒で終わらせるぞ」

がんばってるのに仕事が遅くミスして怒られてばかりのゆたかと、
ダルそうに仕事して帰ってるのに評価される先輩ひかり。
2人の差を生み出す「前向きな怠惰」の考え方とは？

シリーズ累計50万部突破、10年支持され続ける
Excel定番書のエッセンスをコミック化したExcel超入門書！

四六判／112ページ／定価1,089円（本体990円＋税10%）
ISBN 978-4-297-13949-0

たった1日で即戦力になる
Excelの教科書【改訂第3版】

吉田拳 著

【シリーズ累計50万部突破】10年支持され続ける
Excel定番書、AI時代にあわせてアップデート！

「Excelぐらい、まあなんとかなるよ」……そういいつつ、
作業に何時間もかかってイライラしたり、
いつもミスをして時間をムダにしていませんか？

実務直結の知識を最小限の時間でマスターできる
かつてないExcel本として10年支持され続ける定番書が4年ぶりに改訂。
第3版では、話題のChatGPTやCopilotなど生成AIの活用法、テーブル、スピル、
Excel 2021／Microsoft 365以降で使える画期的に便利な新関数を解説。
デザインも全面刷新しました。

1万人の指導実績に裏打ちされた実務直結のExcel入門、決定版！

A5判／416ページ／定価1,980円（本体1,800円＋税10%）
ISBN 978-4-297-13959-9

お問い合わせについて

本書に関するご質問は、FAXか書面でお願いいたします。電話での直接のお問い合わせにはお答えできません。あらかじめご了承ください。下記のWebサイトでも質問用フォームを用意しておりますので、ご利用ください。ご質問の際には以下を明記してください。

・書籍名 ・該当ページ ・返信先（メールアドレス）

ご質問の際に記載いただいた個人情報は質問の返答以外の目的には使用いたしません。お送りいただいたご質問には、できる限り迅速にお答えするよう努力しておりますが、お時間をいただくこともございます。なお、ご質問は本書に記載されている内容に関するもののみとさせていただきます。

問い合わせ先

〒162-0846　東京都新宿区市谷左内町21-13
株式会社技術評論社　書籍編集部
「たった1秒で仕事が片づく Excel自動化の教科書【改訂第3版】」係
FAX：03-3513-6183
Web：https://gihyo.jp/book/2024/978-4-297-13961-2

たった1秒で仕事が片づく
Excel 自動化の教科書【改訂第3版】

2016年 7月 10日　初 版　第1刷発行
2024年 3月 21日　第3版　第1刷発行
2024年 3月 23日　第3版　第2刷発行

著　者　吉田 拳
発行者　片岡 巌
発行所　株式会社技術評論社
　　　　東京都新宿区市谷左内町21-13
　　　　電話 03-3513-6150 販売促進部
　　　　　　 03-3513-6166 書籍編集部
印刷・製本　株式会社加藤文明社